C IC
COMMUNICATE IN CHINESE

交际汉语

2

CHINA CENTRAL TELEVISION **CCTV 9**

中国中央电视台英语频道 编

POPULAR SCIENCE PR

科学普及出版社

BEIJING

· 北 京 ·

I0980695

图书在版编目(CIP)数据

交际汉语 2/ 中国中央电视台英语频道编. —北京：科学普及出版社，
2004.1

ISBN 7-110-05628-7

Ⅰ.交... Ⅱ.中... Ⅲ.汉语－口语－对外汉语教学－教材 Ⅳ.H195.4

中国版本图书馆 CIP 数据核字（2003）第 100575 号

科学普及出版社出版

北京市海淀区中关村南大街 16 号 邮政编码：100081
电话：62103206 传真：62183872
Popular Science Press
16 Zhongguancun Nandajie
Haidian, Beijing 100081
Tel:62103206 Fax:62183872
E-mail:pspress @sina.com
新华书店北京发行所发行 各地新华书店经售
中央民族大学印刷厂印刷

＊

开本：889 毫米×1194 毫米 1/32 印张：7.875 字数：200 千字
2004 年 1 月第 1 版 2004 年 1 月第 1 次印刷
印数：1－9 000 册 定价：36.00 元
（凡购买本社的图书，如有缺页、倒页、脱页者，本社发行部负责调换）

Consultant: Zhang Changming
顾　问：张长明

Programme Designers: Sheng Yilai　Jiang Heping
总策划：盛亦来　江和平

Chief Editors: Ye Lulu　Yu Suqiu　Lai Yunhe
主　编：野露露　于素秋　来云鹤

Translators:【Australia】Cheng Lei　Han Qiuhong
翻　译：【澳】成　蕾　韩秋红

Examiner: Ye Lulu
审　定：野露露

Executive Editors: Xiao Ye　Shan Ting
责任编辑：肖　叶　单　亭

Cover Design: Chen Tong
封面设计：陈　同

Proofreader: Wang Qinjie
责任校对：王勤杰

Print Produdion: An Liping
责任印制：安利平

Legal Adviser: Song Runjun
法律顾问：宋润君

随着中国的改革开放，中国与世界各国的交往日益密切，汉语在世界上的影响和使用范围亦日益扩大。汉语正成为许多国家同中国发展友好合作关系、开展经济贸易活动、进行科技文化交流、增进友谊和了解的重要工具和桥梁。

中央电视台历来重视对外汉语教学节目，曾针对不同年龄、不同职业的人们制作了不同形式的系列电视对外汉语教学节目。为那些没有机会在课堂上或来中国学习的外国人创造了一种学习汉语的机会，同时，也帮助他们获得了一种直接了解中国的能力。

为方便国内外电视观众学习《交际汉语》电视系列教学节目，我们将电视节目整理成教材并配套制作了录音带和VCD光盘，供观众复习和反复学习之用。

《交际汉语》教材共设40课(40个话题)，分四册出版发行。该教材每册10课，其中1课为复习课。每课内容主要以口语为主，通过人物的日常活动设置情景对话，反映一定的语言环境，使学习者通过汉语口语的学习，逐步掌握汉语日常交际表达能力并对汉语逐步产生兴趣。

《交际汉语》教材把日常生活用语分成若干个话题，每课学习一个话题，并针

China's reform and opening up process has not only spurred on its interactions with the rest of the world, but also expanded the role of the Chinese language in the world. Chinese has become the key tool and bridge between China and other countries in developing friendly relations, conducting business and trade activities, making exchanges in culture and technology, as well as boosting mutual understanding.

For a number of years, China Central Television has placed high importance on bringing Chinese teaching programs to overseas viewers, it has produced a series of Chinese teaching programs tailored for learners of different age groups and different needs. For overseas viewers, this is a convenient alternative to classroom learning or coming to China to study, at the same time, it offers them a direct window on understanding China.

To facilitate viewers of both home and abroad in learning the language from the "Communicate in Chinese" teaching program, we have compiled a set of texts from the show and also produced audio Cassettes and VCDs that will allow repeated viewings and studies.

The "Communicate in Chinese" texts have 40 scenarios (40 topics) in total, published as a set of four books, each book comprises ten lessons, the last one being a revision lesson. The teaching materials concentrate on spoken Chinese, through the characters' daily activities as presented in the situational dialogues, language context is reflected and students will find their interest grow as they gradually grasp the ability

对该话题设有情景对话、生词、常用语句、文化背景知识、语言点、注释、替换练习等，力图将理解和使用结合起来。为使国内外电视观众和学习者能较快地掌握所学内容，达到与中国人进行简单交际的目的，我们在电视节目中将每课分三集讲授，每课的前两集以讲解对话为主，并配有文化背景知识和语言点的解释；第三集以复习为主，反复播放情景对话，并配有常用语句和替换练习，充分体现以对话为主，以练习为辅的原则，力求使观众通过观看电视节目和教材的学习，掌握汉语日常生活交际的基本用语。

为帮助初学者理解汉语对话的内涵，尽快掌握汉语的交际能力，我们充分发挥电视的优势，精心制作情景对话并在电视画面上配有生词和常用语句的拼音、汉字和英文字幕，使观众学什么就能看到什么，创造语言环境，力求加深印象。我们聘请中国人民大学教授于素秋撰写部分教材，澳大利亚籍英文专家成蕾女士为该教材作了翻译。我们还特邀加拿大籍著名电视节目主持人大山(Mark Rowswell)担任《交际汉语》电视教学节目的主持人。对他们的奉献，我们表示衷心的感谢。

中国中央电视台英语频道

2003 年 7 月

to communicate in Chinese.

The text has split up expressions that are used in daily life into several topics, each lesson focuses on some of the expressions on the topic, with situational dialogues, new words, common expressions, cultural background, language points, notes, substitutional drills, this integrates comprehension with practical usage. To speed up the learning process for TV viewers and learners so that they can communicate with Chinese people in simple situations, each lesson has been divided into three parts, the first two parts mainly explain the dialogue and include explanations of the cultural background and language points, while the third part is for revision and contains substitutional drills of common expressions. It can be seen that dialogue is given a primary role while exercises complement the learning of conversations. This set of teaching materials and television program aims to allow viewers to become adept at using Chinese to communicate in daily life.

In order to assist beginners gain an innate understanding of dialogues in Chinese and quickly gain communication skills, we made full use of the television medium, to produce situational dialogues and provide pinyin, Chinese and English subtitles onscreen for the new vocabulary and common expressions, so that what viewers see, they can learn, it cultivates a language environment and leaves a lasting impression. We asked Professor Yu Suqiu from the Renmin University of China to write parts of the text, while Ms. Cheng Lei, an Australian-Chinese English consultant translated the text and we invited Mark Rowswell, the Canadian presenter who is a household name in

Chinese TV due to his bi-lingual skills, to host the "Communicate in Chinese" program. We express our sincere gratitude for their work.

July, 2003

目 录

第十一课 住宾馆 1
　【会话】住宾馆
　【文化背景知识】中国的酒店
　【语言点】1．"是……的"句型
　　　　　　2．"把"字句
　　　　　　3．"可不可以"
　　　　　　4．"可以……但是……"的用法

第十二课 换钱 23
　【会话】换钱
　【文化背景知识】中国货币、外币兑换、信用卡、旅行支票
　【语言点】1．"一下"句型的用法
　　　　　　2．"动词 + 上"的用法
　　　　　　3．"比 + 形容词"的用法
　　　　　　4．"先"

第十三课 修自行车 47
　【会话】修自行车
　【文化背景知识】中国——自行车的王国
　【语言点】1．"除了……都……"和"除了……还……"的用法
　　　　　　2．"才"字的用法
　　　　　　3．"一……就……"句型的用法

第十四课 坐出租车 69
　【会话】坐出租车
　【文化背景知识】北京的出租车
　【语言点】1．"得"字的用法
　　　　　　2．"要么……要么……"句型的用法
　　　　　　3."先……再……"的用法
　　　　　　4．表示时间和距离的句型"从……到……"

第十五课 坐汽车 89
　【会话】坐公共汽车
　【文化背景知识】北京的公交车
　【语言点】1．"又……又……"句型的用法
　　　　　　2．比较词"不如……"的用法
　　　　　　3．能愿动词"想、要"

CONTENTS

Lesson Eleven **Staying at Hotels** 2
[Dialogue] Staying at Hotels
[Cultural Background] Hotels in China
[Language Points] 1. "是……的" sentence structures
2. Sentences using "把"
3. Ways of using "可不可以"
4. Ways of using "可以……但是……"

Lesson Twelve **Changing Money** 24
[Dialogue] Changing Money
[Cultural Background] Chinese Currency, Foreign Exchange,
Credit Cards, Traveller's Cheques
[Language Points] 1. Using "一下" sentence
2. Using "verb + 上"
3. Using "比 + adjective"
4. Using "先"

Lesson Thirteen Repairing the Bicycle 48
[Dialogue] Repairing the Bicycle
[Cultural Background] China — Kingdom of Bicycles
[Language Points] 1. Ways of using "除了……都……" and
"除了……还……"
2. Using the word "才"
3. The "一……就……" sentence structure

Lesson Fourteen Taking Taxis 70
[Dialogue] Taking Taxis
[Cultural Background] Beijing's Taxis
[Language Points] 1. Ways of using the word "得"
2. "要么……要么……" sentence structure
3. Using "先……再……"
4. Sentences to denote time and distance "从……到……"

Lesson Fifteen **Taking Buses** 90
[Dialogue] Taking Buses
[Cultural Background] Public Transport of Beijing
[Language Points] 1. How to use "又……又……"sentences
2. The use of comparison word "不如……"
3. Modal verbs to denote will and desire "想、要"

第十六课 谈天气 115
　　【会话】谈天气
　　【文化背景知识】北京的四季与着装
　　【语言点】1. 句型"怎么样"的用法
　　　　　　　2. 能愿动词"可以"的用法
　　　　　　　3. "像……一样"句型的用法

第十七课 寄信 139
　　【会话】寄信
　　【文化背景知识】在中国如何寄信
　　【语言点】1. "快……了"的用法
　　　　　　　2. "挺"的用法
　　　　　　　3. "该……"的用法
　　　　　　　4. "在"在句子中的用法
　　　　　　　5. "好"字的用法
　　　　　　　6. "多少……"的用法

第十八课 上网 163
　　【会话】上网
　　【文化背景知识】中国的互联网络
　　【语言点】1. "死"字的表示法
　　　　　　　2. "不仅……还……"句型
　　　　　　　3. "还不如……"句型
　　　　　　　4. "再说"的用法
　　　　　　　5. "被"字句

第十九课 订票 187
　　【会话】订票
　　【文化背景知识】北京火车站——售票和订票业务
　　【语言点】1. "是……还是……?"句型
　　　　　　　2. "什么时候?"疑问句

第二十课 复习 209
　　【复习】

附　录 229
　　【总词汇表】

Lesson Sixteen Talking about the Weather 116

　　[Dialogue] Talking about the Weather
　　[Cultural Background] Beijing's Four Seasons and What to wear
　　[Language Points] 1. How to use " 怎么样 " sentences
　　　　　　　　　　　2. How to use the verb " 可以 "
　　　　　　　　　　　3. " 像……一样 " sentence structure

Lesson Seventeen Sending Letters.. 140

　　[Dialogue] Sending Letters
　　[Cultural Background] How to Post letters in China
　　[Language Points] 1. How to use " 快……了 "
　　　　　　　　　　　2. How to use " 挺 "
　　　　　　　　　　　3. " 该……" phrases and sentences
　　　　　　　　　　　4. The use of " 在 " in sentences
　　　　　　　　　　　5. Usage of the word " 好 "
　　　　　　　　　　　6. How to use " 多少……"

Lesson Eighteen On the Internet 164

　　[Dialogue] On the Internet
　　[Cultural Background] Internet in China
　　[Language Points] 1. Use of the word " 死 "
　　　　　　　　　　　2. " 不仅……还……" sentence structure
　　　　　　　　　　　3. " 还不如……" sentence structure
　　　　　　　　　　　4. How to use " 再说 "
　　　　　　　　　　　5. " 被 " phrases

Lesson Nineteen Booking Tickets 188

　　[Dialogue] Booking Tickets
　　[Cultural Background] Beijing Railway Station ——
　　　　　　　　　　　　　Ticket Sales and Reservations
　　[Language Points] 1. " 是……还是……?" sentence structure
　　　　　　　　　　　2. " 什么时候?" questions

Lesson Twenty Revision 209

　　[Revision]

Appendix 229

　　[Vocabulary List]

<ruby>第<rt>dì</rt></ruby><ruby>十<rt>shí</rt></ruby><ruby>一<rt>yī</rt></ruby><ruby>课<rt>kè</rt></ruby> <ruby>住<rt>zhù</rt></ruby><ruby>宾<rt>bīn</rt></ruby><ruby>馆<rt>guǎn</rt></ruby>

<ruby>会<rt>huì</rt></ruby><ruby>话<rt>huà</rt></ruby>

Have you made a reservation?

A

（<ruby>旅<rt>lǚ</rt></ruby><ruby>馆<rt>guǎn</rt></ruby><ruby>接<rt>jiē</rt></ruby><ruby>待<rt>dài</rt></ruby><ruby>前<rt>qián</rt></ruby><ruby>台<rt>tái</rt></ruby>。）（<ruby>刘<rt>liú</rt></ruby><ruby>明<rt>míng</rt></ruby><ruby>和<rt>hé</rt></ruby><ruby>服<rt>fú</rt></ruby><ruby>务<rt>wù</rt></ruby><ruby>员<rt>yuán</rt></ruby>。）

<ruby>服<rt>fú</rt></ruby><ruby>务<rt>wù</rt></ruby><ruby>员<rt>yuán</rt></ruby>：<ruby>先<rt>xiān</rt></ruby><ruby>生<rt>sheng</rt></ruby>，<ruby>下<rt>xià</rt></ruby><ruby>午<rt>wǔ</rt></ruby><ruby>好<rt>hǎo</rt></ruby>！

<ruby>刘<rt>liú</rt></ruby> <ruby>明<rt>míng</rt></ruby>：<ruby>你<rt>nǐ</rt></ruby><ruby>好<rt>hǎo</rt></ruby>，<ruby>您<rt>nín</rt></ruby><ruby>这<rt>zhèr</rt></ruby>(儿)<ruby>有<rt>yǒu</rt></ruby><ruby>标<rt>biāo</rt></ruby><ruby>准<rt>zhǔn</rt></ruby><ruby>间<rt>jiān</rt></ruby><ruby>吗<rt>ma</rt></ruby>？

<ruby>服<rt>fú</rt></ruby><ruby>务<rt>wù</rt></ruby><ruby>员<rt>yuán</rt></ruby>：<ruby>请<rt>qǐng</rt></ruby><ruby>问<rt>wèn</rt></ruby><ruby>您<rt>nín</rt></ruby><ruby>预<rt>yù</rt></ruby><ruby>定<rt>dìng</rt></ruby><ruby>了<rt>le</rt></ruby><ruby>吗<rt>ma</rt></ruby>？

<ruby>刘<rt>liú</rt></ruby> <ruby>明<rt>míng</rt></ruby>：<ruby>我<rt>wǒ</rt></ruby><ruby>预<rt>yù</rt></ruby><ruby>定<rt>dìng</rt></ruby><ruby>了<rt>le</rt></ruby>。<ruby>我<rt>wǒ</rt></ruby><ruby>是<rt>shì</rt></ruby><ruby>前<rt>qián</rt></ruby><ruby>天<rt>tiān</rt></ruby><ruby>打<rt>dǎ</rt></ruby><ruby>电<rt>diàn</rt></ruby><ruby>话<rt>huà</rt></ruby><ruby>预<rt>yù</rt></ruby><ruby>定<rt>dìng</rt></ruby><ruby>的<rt>de</rt></ruby>。

LESSON ELEVEN
Staying at Hotels

 Dialogue

Yes. I made the reservation by phone

A

(Hotel reception.)(Liu Ming and hotel clerk.)

Hotel Clerk: Good afternoon, sir!

Liu Ming: Hello,do you have standard rooms here?

Hotel Clerk: Have you made a reservation?

Liu Ming: Yes. I made the reservation by phone the day before yesterday.

fú wù yuán　qǐng nín shāo děng　xiān sheng　qǐng wèn nín guì xìng
服务员： 请您稍等。先生，请问您贵姓？

liú　míng　wǒ xìng liú　wǒ jiào liú míng　guāng míng de míng
刘　明： 我姓刘，我叫刘明，光明的明。

fú wù yuán　nín shì guāng míng gōng sī de　yù dìng sān tiān
服务员： 您是光明公司的，预定三天。

liú　míng　duì
刘　明： 对。

fú wù yuán　qǐng nín tián yí xià zhù sù dēng jì biǎo
服务员： 请您填一下住宿登记表。

fú wù yuán　xiè xie
服务员： 谢谢。

fú wù yuán　zhè shì nín de fáng jiān yào shi
服务员： 这是您的房间钥匙。

liú　míng　liù yāo bā fáng jiān　hǎo　yòu yào fā　wǒ xǐ
刘　明： 618房间。好，又要发，我喜

huan　láo jià　néng bǎ xíng li sòng dào wǒ de
欢。劳驾，能把行李送到我的

fáng jiān ma　liù yāo bā fáng jiān
房间吗？618房间。

fú wù yuán　hǎo
服务员： 好。

This is your room key.

Hotel Clerk: Wait a minute. What is your surname, sir?

Liu Ming: My surname is Liu, I'm Liu Ming, Ming as in Guangming.

"I'm going to prosper again", I like that.

Hotel Clerk: You're from the Guangming Company, the booking is for three days.

Liu Ming: Yes.

Hotel Clerk: Please fill in an accommodation registration form.

Hotel Clerk: Thank you.

Hotel Clerk: This is your room key.

Liu Ming: Room 618. Good, it sounds like "I'm going to prosper again", I like that. Excuse me, could you please bring the luggage to my room? Room 618.

Hotel Clerk: All right.

B

liú míng huí dào qián tái
(刘明 回到 前台。)

fú wù yuán nín hǎo
服务员：您好！

liú míng nín hǎo
刘 明：您好！

liú míng duì bù qǐ wǒ kě bù kě yǐ huàn yí ge dà yì diǎnr
刘 明：对不起，我可不可以换一个大一点(儿)

de fáng jiān zhè ge fáng jiān yǒu diǎnr xiǎo
的 房 间？这个 房 间有 点(儿)小。

fú wù yuán qǐng shāo děng wǒ bāng nín chá yí xiàr wǒ
服务员：请 稍 等，我 帮 您 查 一下(儿)。我

men kě yǐ gěi nín huàn yí ge dà yì diǎnr de
们可以给您 换 一个大一点(儿)的

fáng jiān dàn shì fáng fèi yào gāo yì xiē
房 间，但是房费要高一些。

liú míng méi guān xi xiè xie
刘 明：没关系。谢谢！

fú wù yuán bú kè qi
服务员：不客气。

C

xiǎo jiāng qǐng wèn nǐ men zhèr yǒu kōng fáng jiān ma
小 江：请 问，你们 这(儿)有 空 房 间吗？

fú wù yuán nín xiǎng yào shén me yàng de fáng jiān
服务员：您 想 要 什么样的 房 间？

xiǎo jiāng wǒ xiǎng yào yí ge dān rén fáng jiān
小 江：我 想 要一个单人房 间。

B

(Back at reception.)

Hotel Clerk: Hello.

Liu Ming: Hello.

Liu Ming: Sorry, could I change to a larger room? This room is a bit small.

Hotel Clerk: Please wait a moment, I'll look it up for you. We can change you to a larger room, but the room tariff will be higher.

Liu Ming: That's fine. Thank you.

Hotel Clerk: You are welcome.

C

Xiao Jiang: Excuse me, are there any vacant rooms here?

Hotel Clerk: What type of room would you like?

Xiao Jiang: I'd like a single room.

fú wù yuán　　chá diàn nǎo　qǐng shāo děng
服务员：(查电脑) 请 稍 等。

　　　　　　yǒu　　nín zhù jǐ tiān
　　　　　　有，您 住 几 天？

xiǎo　　jiāng　qǐng wèn duō shǎo qián yì tiān
小　　江：请 问 多少 钱 一天？

fú wù yuán　　èr bǎi bā shí yuán
服务员：__280__ 元。

xiǎo　　jiāng　yǒu méi yǒu pián yi yì diǎnr　de
小　　江：有 没有 便宜 一点(儿)的？

fú wù yuán　yǒu èr bǎi èr shí yuán de　dàn shì yīn miànr　de
服务员：有 __220__ 元的，但是 阴面(儿)的，

méi yǒu yáng tái
没有 阳台。

xiǎo　　jiāng　méi guān xi　　wǒ jiù zhù yì tiān
小　　江：没 关系，我 就 住 一天。

dì èr tiān
(第二天)

xiǎo　　jiāng　láo jià　　wǒ néng bǎ xíng li jì cún zài zhèr　ma
小　　江：劳驾，我 能 把 行李 寄存 在 这(儿)吗？

fú wù yuán　kě yǐ　　nín dǎ suàn jì cún duō shǎo tiān
服务员：可以。您 打算 寄存 多少 天？

xiǎo　　jiāng　wǒ liǎng tiān hòu huí lai
小　　江：我 两 天 后 回来。

fú wù yuán　zhè shì nín de xíng li páir
服务员：这是 您 的 行李牌(儿)。

xiǎo　　jiāng　xiè xie
小　　江：谢谢！

Hotel Clerk: *(looks on computer)* Wait a moment please. Yes , we have one. How many days are you staying for?

Xiao Jiang: How much is this per day?

Hotel Clerk: 280 Yuan.

Xiao Jiang: Is there a cheaper one or not?

Hotel Clerk: We have 220 Yuan rooms, but they're on the shaded side, with no balcony.

Xiao Jiang: That's alright. I'm only staying for one day.

(Second Day)

Xiao Jiang: Excuse me, can I leave my luggage here for safekeeping?

Hotel Clerk: Yes. How many days would you like to leave it?

Xiao Jiang: I'll be back after two days.

Hotel Clerk: This is your luggage tag.

Xiao Jiang: Thank you.

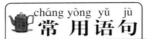

cháng yòng yǔ jù
常 用 语 句

yǒu ...... ma
有……吗?

yǒu biāo zhǔn jiān ma
有标准间吗?

wǒ shì ...... yù dìng de
我是……预定的。

wǒ shì qián tiān dǎ diàn huà yù dìng de
我是前天打电话预定的。

qǐng nín tián yí xià
请您填一下……

qǐng nín tián yí xià zhù sù dēng jì biǎo
请您填一下住宿登记表。

néng bǎ ...... sòng dào ...... ma
能把……送到……吗?

néng bǎ xíng li sòng dào wǒ de fáng jiān ma
能把行李送到我的房间吗?

wǒ kě bù kě yǐ ......
我可不可以……?

wǒ kě bù kě yǐ huàn yí ge dà yì diǎnr de fáng jiān
我可不可以换一个大一点(儿)的房间?

kě yǐ dàn shì ......
可以,但是……

kě yǐ dàn shì fáng fèi yào gāo yì xiē
可以,但是房费要高一些。

wǒ xiǎng yào yí ge dān rén fáng jiān
我想要一个单人房间。

🫖 Common Expressions

Are there any...?

Are there any standard rooms?

I've made... reservations.

I made the reservation by phone the day before

yesterday.

Please fill in...

Please fill in the accommodation registration form.

Can you bring... to...?

Can you bring the luggage to my room?

Could I...?

Could I change to a larger room?

Yes, but...

Yes, but the room tariff would be higher.

I'd like a single room.

zhù jǐ tiān　　duō shao tiān
住几天？多少天？

wǒ néng　　ma
我能……吗？

wǒ néng bǎ xíng li cún zài zhèr　　ma
我能把行李存在这(儿)吗？

méi guān xi
没关系。

shēng cí
生词

fáng jiān 房 间	xíng li 行 李
biāo zhǔn jiān 标 准 间	xíng li páir 行 李 牌(儿)
dān rén jiān 单 人 间	fáng jiān yào shi 房 间 钥 匙
shuāng rén jiān 双 人 间	zhù sù fèi fángfèi 住宿费(房费)
kōng fáng jiān 空 房 间	yīn miàn 阴 面
shén me yàng de fáng jiān 什 么 样 的 房 间	yáng miàn 阳 面
yù dìng 预 定	cún fàng 存 放
zhù sù 住宿	jì cún chù 寄存处
tián dēng jì biǎo 填 登 记 表	huàn fáng jiān 换 房 间

> How many days are you staying? How many days?
>
> Could I...?
>
> Could I store my luggage here?
>
> That's fine.

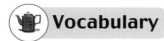 **Vocabulary**

room	luggage
standard room	luggage tag
single room	room key
double room	accommodation charge(room tariff)
vacant room	shaded side
what type of room	sunny side
reservations	keep, store (luggage)
accommodation	luggage checkroom
fill out registration form	switch room

liǎng tiān hòu
两 天 后

kě yǐ bù kě yǐ
可以（不可以）

qián tiān
前 天

qián duō shǎo qián
钱（多少钱）

xǐ huan
喜欢

pián yi
便宜

shāo děng
稍等

méi guān xi
没关系

wén huà bèi jǐng zhī shi
文化背景知识

中国的酒店

　　中国的酒店较多，国际性的酒店遍布各大中小城市。大城市像北京、上海、天津、广州以及沿海开放城市的酒店从一星级至五星级随处可见。

　　为高质量地服务于游客和尊重民族及宗教习俗，中国国家旅游局还专门为外国人设有定点旅游酒店。一、二星级的酒店价格便宜，也较为舒适，但在设施上较五星级的大宾馆简单一些。三星级至五星级的酒店、宾馆规模较大，价格稍高一

after two days	can(can't)
the day before yesterday	money(how much money)
like	cheap
wait a moment	that's alright

Cultural Background

Hotels in China

China has many hotels, international hotels can be found in cities of all sizes. In major cities such as Beijing, Shanghai, Tianjin, Guangzhou and coastal cities, there are a number of hotels ranging from one to five stars.

To better meet the needs of tourists and respect their ways of life, China's National Tourism Bureau has designated tourism hotels for foreigners. One to two-star hotels are easy on the budget and still relatively comfortable, but may lack certain facilities compared to other hotels. Three to five star hotels are often larger in size and higher in

些,但设施较齐全,服务的项目较多,如:在语言方面的服务,协助租用交通车,购买机票、车票,设旅游景点服务,兑换外币业务等等。因此,外国游客到中国来或国内的异地游客在中国各地旅游和外出时不用担心住宿问题,可供选择的酒店很多。

北京的酒店和大饭店很多,仅五星级的饭店就有20余家左右,如:北京饭店、贵宾楼、长城饭店、昆仑饭店、希尔顿饭店、王府饭店、凯宾斯基饭店等。一般情况下,住星级饭店要预定,查饭店的电话号码,可以通过114查号台问询。如在旅游旺季出门旅行,可以通过旅行社或服务机构提前预定,价格会便宜一些,还会有一定的折扣。如果打电话不便,也可在网上预定房间,如:www.elong.com 或 www.ctrip.com 。

price, but come with a comprehensive range of facilities and services, such as: language services, help in getting taxis, buying train

tickets and booking flights, travel services, money exchange, etc. So overseas or domestic tourists can rest assured about accommodation issues in China, they will be spoilt for choice.

Beijing has many hotels, in just five-star hotels it has over 20, such as: the Beijing Hotel, Grand Hotel Beijing, Great Wall Hotel, Kunlun Hotel, Hilton Hotel, Palace Hotel,Kempinski Hotel, etc. Normally you would need to book ahead for star-rated hotels, phone numbers for which are available from dialing directory assistance on 114. You can make reservations through travel agencies if travelling in the peak season which might be cheaper. Internet reservations are also convenient, try www.elong.com or www.ctrip. com.

语言点

1 **"是……的"**

表示动作已经发生，并强调动作发生的时间、地点以及方式等等。

例如：您是哪天回国的？

我的表是在商场丢的。

我是骑自行车来的。

2 **"把"** ——强调对事物的处置。

例如：把行李送到我的房间。

把书看完。

把房间打扫打扫。

3 **"可不可以"** —— "可以"是主动词。

问句为：可以……吗？

可不可以陪我去医院？可不可以安静些？

4 **"可以……但是……"** —— 句中的"但是"表示转折。

例如：我可以不抽烟，但是我得喝酒。

我可以不去，但是你可得去。

您可以留在家里，但是我得去看看。

Language Points

1 " 是……的 " Indicates the action has already oc-
   curred and highlights the time and place in which
   the action occurred, as well as the means.
   For example:
   On which day did you come back to the country?
   My watch was lost at the mall.
   I came here riding my bike.

2 " 把 " — stresses the handling of the matter.
   For example:
   Bring the luggage to my room.
   Finish reading the book.
   Give the room a clean.

3 " 可不可以 " — " 可以 "is the main verb. To make
   it a question: Can you...?
   Can you go to the hospital with me?
   Can you be a little quieter?

4 " 可以……但是…… "—The "but"
   in the sentence points to a turn.
   For example:
   I can not smoke, but I have to drink.
   I can not go, but you have to go.
   You can stay at home, but I have to
   go to have a look.

注释 zhù shì

① "能把……送到……吗？"

能愿动词要放在"把"的前边，一般是能愿动词在前，副词在后。如：能把箱子帮我送到房间里吗？

② "没关系。"

表示没有任何困难自愿做此事或无所谓。

③ "可不可以？"

肯定的答复是"可以"或"行"；否定的回答是"不行"。

Explanatory Notes

1 " 能把……送到……吗?" — "Can you...bring... to...?"Inclination verbs are placed in front of "把", usually the inclination verbs comes before the adverb. For example: Can you help me bring the suitcase to my room?

2 " 没关系。" — "That's all right."indicates there is no difficulty in performing the act or that it is of no consequence.

3 " 可不可以？ " — The affirmative answer is " 可 以 " or " 行 "; a negative reply would be " 不行 ".

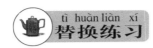

tì huàn liàn xí
替换练习

wǒ xiǎng yào liǎng zhāng diàn yǐng piào
我 想 要 两 张 电影票。

wǒ xiǎng yào zhī kǎo yā
我 想 要 只 烤鸭。

wǒ xiǎng yào mǎi kuàir　　dàn gāo
我 想 要 买 块(儿)蛋糕。

néng bǎ shū huán gěi wǒ ma
能把书还给我吗?

néng bāng wǒ sòng běn shū ma
能 帮 我 送 本 书 吗?

néng gào su wǒ diàn huà hào mǎ ma
能 告诉我电话号码吗?

néng bāng wǒ shōu shi yí xià fáng jiān ma
能 帮 我 收拾一下房间吗?

bǎ zhè xiāng zi fàng zài nǎr　　fàng zài mén kǒu
把这箱子 放 在哪(儿)? 放 在门口。

bǎ chē tíng zài nǎr　　tíng zài yuàn nèi
把车停在哪(儿)? 停在院内。

bǎ zhuō zi bǎi zài nǎr　　bǎi zài cān tīng lǐ
把桌子摆在哪(儿)? 摆在餐厅里。

Substitutional Drills

I'd like two movie tickets.

I'd like a roast duck.

I'd like to buy a piece of cake.

Can you return the book to me?

Can you deliver a book for me?

Can you tell me the phone number?

Can you help me clean up the room?

**Where do we put this case?
At the door.**

Where do we park the car?

Park it in the yard.

Where do we put the table?

Put it in the restaurant.

dì shí èr kè   huàn qián
第十二课　换钱

huì huà
会话

This is your RMB.

A

jiǔ diàn qián tái wài bì duì huàn chù
（酒店 前台 外币 兑换处。）

xiǎo jiāng   láo jià   wǒ yào huàn qián
小 江：劳驾，我 要 换 钱。

jiǎ   qǐng wèn   nín huàn duō shǎo
甲：请 问，您 换 多少？

xiǎo jiāng   jīn tiān yīng bàng yǔ rén mín bì de bǐ jià shì duō shǎo
小 江：今天 英 镑 与 人民币 的 比价 是 多少？

jiǎ   jīn tiān de bǐ jià shì yī bǐ shí sān diǎn líng yī
甲：今天 的 比价 是 1：13.01。

xiǎo jiāng   qǐng wèn hé yín háng de huì lǜ yí yàng ma
小 江：请 问 和 银行 的 汇率 一样 吗？

LESSON TWELVE
Changing Money

 **Dialogue**

A

(At foreign currency exchange counter of hotel reception.)

Xiao Jiang: Excuse me, I would like to change money.

A : Could I ask how much you're changing?

Xiao Jiang: What's the exchange rate between

the British pound and the RMB?

A : Today's exchange rate is 1:13.01

Xiao Jiang: Could you tell me if that's the same as

bank exchange rates?

甲：<ruby>当<rt>dāng</rt></ruby><ruby>然<rt>rán</rt></ruby><ruby>一<rt>yí</rt></ruby><ruby>样<rt>yàng</rt></ruby>。

小江：（自语）我换 <u>60</u> 英镑吧。
（xiǎo jiāng / zì yǔ / wǒ huàn liù shí yīng bàng ba）

甲：请您先填一下兑换单。
（jiǎ / qǐng nín xiān tián yí xià duì huàn dān）

小江：我可以用信用卡吗？
（xiǎo jiāng / wǒ kě yǐ yòng xìn yòng kǎ ma）

甲：不可以。但是您可以用旅行支票。
（jiǎ / bù kě yǐ / dàn shì nín kě yǐ yòng lǚ xíng zhī piào）

小江：……

甲：这是您的人民币。
（jiǎ / zhè shì nín de rén mín bì）

小江：请问，我可以换一些硬币吗？我喜欢集硬币。
（xiǎo jiāng / qǐng wèn / wǒ kě yǐ huàn yì xiē yìng bì ma / wǒ xǐ huan jí yìng bì）

甲：当然可以。
（jiǎ / dāng rán kě yǐ）

小江：谢谢。（接过硬币。）
（xiǎo jiāng / xiè xie / jiē guò yìng bì）

甲：请您在这(儿)填一下您的名字。
（jiǎ / qǐng nín zài zhèr / tián yí xià nín de míng zi）

Could I ask how much you're changing?

A : Of course it is.

Xiao Jiang: *(says to himself)* I'll change 60 pounds.

A : Please fill out the exchange form.

Xiao Jiang: Could I use my credit cards?

A : No, you can't. But you can use traveller's cheques.

Xiao Jiang: ...

A : This is your RMB.

Xiao Jiang: Thanks. Could I get some coins? I like collecting coins.

A : Of course you can.

Xiao Jiang: Thanks. (*accepts coins.*)

A : Please fill in your name here.

B

yín hángwài bì duì huàn tái
（银行 外币兑换台。）

liú míng láo jià zhèr
刘 明：劳驾，这(儿)

kě yǐ huàn wài
可以换外

bì ma
币吗？

jiǎ kě yǐ qǐng wèn nín huàn nǎ zhǒng wài bì
甲：可以。请问您换哪种外币？

liú míng wǒ huàn měi yuán wǔ qiān měi yuán
刘 明：我换美元，5000 美元。

jiǎ qǐng nín xiān tián yí xià duì huàn dān
甲：请您先填一下兑换单。

liú míng jīn tiān měi yuán duì rén mín bì de bǐ jià shì
刘 明：今天美元对人民币的比价是

duō shǎo
多少？

jiǎ yī bǐ bā diǎn èr jiǔ
甲：1：8.29。

liú míng hǎo bǐ zuó tiān huàn zhí
刘 明：好，比昨天换值！

jiǎ qǐng wèn nín yào xiàn chāo hái shì lǚ xíng zhī piào
甲：请问您要现钞还是旅行支票？

liú míng wǒ yào sì qiān bā bǎi yuán lǚ xíngzhī piào èr bǎi yuán
刘 明：我要 4800 元旅行支票，200 元

xiàn chāo
现钞。

B

(Foreign currency exchange counter.)

Liu Ming: Excuse me, can you change foreign currency here?

A : Yes. Which foreign currency would you like to change?

Liu Ming: I want to change US dollars, 5000 US dollars.

A : Please fill in the exchange form first.

Liu Ming: What's the rate of the US dollar to the RMB today?

A : 1:8.29.

Liu Ming: Good, better value than yesterday!

A : Would you like cash or traveller's cheques?

Liu Ming: I want 4800 Yuan in traveller's cheques, 200 Yuan cash.

Good. better value than yesterday !

jiǎ hǎo qǐng shāo děng
甲：好，请稍等。

liú míng láo jià kě bù kě yǐ gěi wǒ wǔ zhāng èr shí yuán
刘明：劳驾，可不可以给我五张二十元，

shí zhāng shí yuán de xiàn chāo
十张十元的现钞？

jiǎ méi wèn tí qǐng nín diǎn yí xiàr sì qiān bā bǎi
甲：没问题。请您点一下(儿)。4800

yuán lǚ xíng zhī piào èr bǎi yuán xiàn chāo
元旅行支票，200元现钞。

🫖 常用语句
cháng yòng yǔ jù

nín huàn duō shǎo
您换多少？

bǐ jià shì duō shǎo
比价是多少？

hé yí yàng ma
和……一样 吗？

hé yín háng de huì lǜ yí yàng ma
和银行的汇率一样吗？

wǒ kě yǐ yòng xìn yòng kǎ ma
我可以用信用卡吗？

xiān tián yí xiàr duì huàn dān
先填一下(儿)兑换单。

bǐ zuó tiān huàn zhí
比昨天换值！

qǐng diǎn yí xiàr
请点一下(儿)。

A　：OK, please wait a moment.

Liu Ming：Could you give me cash with 5 twenty Yuan's, 10 ten Yuan notes?

A　：No problem. Please count it. 4800 Yuan in traveller's cheques and 200 yuan cash.

Common Expressions

How much are you changing?

What's the exchange rate?

Is it the same as...?

Is it the same as the bank exchange rate?

Could I use credit cards?

Please fill out the exchange form first.

It's better value than exchanging it yesterday!

Please count it.

shēng cí
生词

huàn qián
换 钱

bǐ jià
比价

yīng bàng
英镑

měi yuán
美元

huì lǜ
汇率

duì huàn dān
兑换单

xìn yòng kǎ
信用卡

rén mín bì
人民币

yìng bì
硬币

wài huì
外汇

xiàn chāo
现钞

tián dān
填单

diǎn qián
点钱

yí yàng
一样

dāng rán
当然

jí
集

wén huà bèi jǐng zhī shi
文化背景知识

中国货币、外币兑换、信用卡、旅行支票

中国货币(人民币):

中国的通用货币是人民币,由国家银行——中国人民银行发行。自发行以来已有55年的历史,共计发行五套人民币。

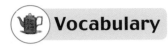
Vocabulary

change money	credit card	count the money
exchange rate	RMB	same
British pound	coin	of course
US dollar	foreign currency	collect
Exchange rate	cash	
Exchange form	fill out form	

Cultural Background

Chinese Currency, Foreign Exchange, Credit Cards, Traveller's Cheques

Chinese Currency (RMB):

Payments in China are made in its national currency, the renminbi or RMB, issued by the central bank—the People's Bank of China. The RMB enjoys 55 years of history and so far five different series of the notes and coins have been issued.

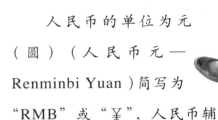

人民币的单位为元（圆）（人民币元——Renminbi Yuan）简写为"RMB"或"¥"，人民币辅币单位为角、分。人民币没有规定法定含金量，它执行价值尺度、流通手段等职能。

目前，市场流通的人民币共有13种券别，分别为1、2、5分，1、2、5角，1、2、5、10、20、50、100元。按照法律规定，人民币元中元币以上为主币，其余角币、分币为辅币，辅币三步进位制，即1元=10角=100分。按照材料的自然属性划分有金属币（亦称硬币），纸币（亦称钞票）。无论纸币、硬币均等价流通。

为丰富人民币币种和满足群众收藏的需要，自1984年开始，中国人民银行还陆续出版了一种可流通的纪念币及特种纪念币。残缺的人民币由中国人民银行收回销毁，不得流通使用。

在人们日常生活中，中国人有时把"元"称为"块"，"一元钱"也叫"一块钱"。人民币的"角"，通常也称为"毛"。

The unit for the RMB is Yuan, or shortened to "RMB" or "¥", the other units are Jiao and Fen. The RMB does not have stipulated gold content, it is a form of measurement and unit of exchange.

Currently, there are thirteen denominations for the RMB: 100 Yuan, 50 Yuan, 20 Yuan, 10 Yuan, 5 Yuan, 2 Yuan, 1 Yuan, 5 Jiao, 2 Jiao, 1 Jiao, in coins:1 Yuan, 5 Jiao, 2 Jiao, 1 Jiao, 5 Fen, 2 Fen, 1 Fen. The Yuan is the main unit of currency, while the Jiao and Fen are supplementary units. One Yuan = 10 Jiao = 100 Fen. Coins and notes are equally convertible.

To meet the needs of collectors, since 1984, the People's Bank of China also issued convertible souvenir coin sets. Tattered and damaged notes or coins are to be exchanged at banks and will be destroyed by the People's Bank of China.

In daily life, the Chinese refer to the "Yuan "as "Kuai ", "One Yuan" is called "One Kuai". The "Jiao" is often called "Mao".

外币兑换：

在中国境内禁止外币流通，并不得以外币计价结算。来华的国际人士入境后的一切费用开支均以人民币支付。中国银行及其他外汇指定银行除受理外币旅行支票、外国信用卡兑换人民币的业务外，还受理8种外币现钞和中国台湾新台币的兑换业务。中国现在可以收兑的外币有：美元、英镑、日本圆、澳大利亚元、加拿大元、瑞士法郎、欧元、新加坡元、港币、澳门币等。在中国兑换外币很方便，各大商场、饭店均可以办理兑换业务。外币兑换人民币的比价可通过兑换处、《中国日报》(英文版)、电视经济节目、广播以及国际互联网获取信息。当天的牌价在中国任何一个城市都是一样的，可以放心兑换。

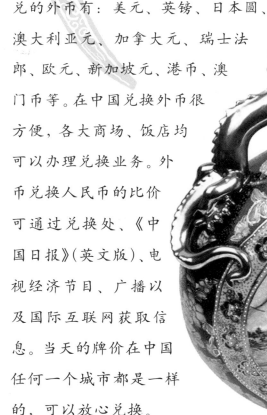

Foreign Exchange:

Foreign currencies are not used in China and payments are not made in foreign currencies. International visitors to China should pay in the Chinese currency, the RMB. The Bank of China and other designated foreign currency banks can process

traveller's cheques in foreign currency, exchange money using foreign credit cards, and also exchange money for eight foreign currencies as well as the New Taipei currency of China. The currencies include: US dollar, British pound, Japanese yen, Australian dollar, Canadian dollar, Swiss franc, Euro, Singapore dollar, Hong Kong dollar, Macau patacas, etc. It is very convenient to change money in China, stores and hotels all offer the service. Exchange rates are available from counters in various major hotels, the China Daily, financial programs on television or the radio, as well as the internet. Daily rates are the same in all cities across China, so you can exchange money free of concerns.

信用卡：

目前，在中国代办的外国信用卡主要有：万事达卡、美国运通卡、大莱卡、维萨卡、JCB卡等五种信用卡。持卡人可在中国银行提取现钞或到中国银行兑换点及其特约的商店、餐厅、饭店等单位直接购物或支付费用。

旅行支票：

为了便利旅游者，中国银行可兑付美国、加拿大、澳大利亚、香港、日本、英国、法国、瑞士、德国等国家和地区的国际性商业银行、旅行支票公司出售的实施支票。中国银行代理出售美国运通公司、花旗银行、通济隆旅行支票公司、住友银行、瑞士银行等银行的旅行支票。

Credit Cards:

Currently, foreign credit cards that can be used in China include: MasterCard, American Express, Diner Club Card, VisaCard, JCB card. Cardholders can withdraw cash at the Bank of  China, exchange money at Bank of China outlets, or use the credit cards at certain stores, restaurants, hotels.

Traveller's Cheques:

For the convenience of travellers, the Bank of China can honour traveller's cheques from international commercial banks and traveller's cheque companies from countries and regions such as the US, Canada, Australia, Hong Kong, Japan, the UK, France, Switzerland, Germany, etc. The Bank of China also sells traveller's cheques on behalf of American Express, Citibank, UBS, Thomas Cook, Sumitomo Bank, etc.

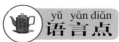

语言点

1 "一下"

用在动词后边，除表示动作次数外，也可表示动作经历的时间短暂，带有轻松随便的意思。

例如：让我介绍一下。

请过来一下。

请等一下。

请点一下钱。

2 "填上……"动词 +（上）

表示获得某种结果或到达一种较高的程度。

例如：由于工作出色，他当上了处长。

我们开上了新汽车，住上了新房子。

3 "比……值" 比 + 形容词。

例如：今天的汇率比昨天低。

他吃的比昨天多。

她干的比上午好。

Language Points

1 " 一下 " is used after verbs, not only does it denote the number of actions, but also the brevity of the action, it makes the expression casual.

For example:
Let me introduce.
Please come over.
Please wait a moment.
Please count the money.

2 " 填上······" verb + (上) means to achieve some result or to attain a relatively high standard.

For example:
Due to outstanding work, he became section chief.
We had a new car to drive and a new house to live in.

3 " 比······值 " 一比 +adjective

For example:
Today's exchange rate is lower than yesterday. He ate more than yesterday.
She is doing it better than in the morning.

4 "先"

表示时间和动作的先后顺序。

例如："先把书拿来。"

"喝果珍时先摇一下瓶子再喝。"

"你先来一下儿。

zhù shì
注释

汉语里的"儿化"音：

在汉语普通话里常常会有"儿"音出现。这是一种汉语的语音现象，它常在口语常用词后面。这个"儿"不自成音节，而是和前面音节合在一起，形成"卷舌韵母"。汉语把这种现象称作"儿化"。儿化词大多数是名词，也常有少数其他词类的词也具有儿化形式。一个词有没有儿化音节的出现，在语气上、语义上以及语言的表达色彩上都会有一些差别。如：

1 "儿化"能够改变词的原有含义：这——这儿

④ " 先 " — "first", reflects the time and order of the action.

For example:

"Get the book first. "

"Before drinking the Tang drink, first shake the bottle."

"You have a go first. "

Explanatory Notes

The "Retroflexed Finals" in Chinese:

In standard Chinese or Putonghua, the " 儿 " sound often appears. This is a feature of the Chinese language, often used after common spoken words. This " 儿 " itself is not a syllable, instead it is combined with the previous syllable, to become a "retroflexed finals." In Chinese this is referred to as " 儿化 ". The words to be treated this way are mostly nouns, occasionally other types of words are given the same treatment. Whether a word has a retroflexed syllable, can lead to differences in tone, meaning and linguistic characteristic.

For example:

① " 儿化 " can change the original meaning of the word: this — here

那——那儿

信——信儿

白面——白面儿

② "儿化"可以改变词性：
画(动词)——画儿(名词)
扣(动词)——扣儿(名词)

③ "儿化"能够使一些短语改变成单词：
一块(数词＋量词)——一块儿(副词，表示一起的意思。)
一点(数词＋量词)—— 一点儿(不多的意思)

④ "儿化"有时表示轻松色彩：
好玩儿、绣球儿、碗儿、碟儿、没门儿
在北方的方言中，北京的儿化音较为多一些，有些词可以儿化，也可以不儿化，但有些词有语义上的差别，这时要注意用儿化音来区别。

that — there

letter — message

white flour — white powder

② "儿化" can change the nature or type of the word:

paint(verb)— painting(noun)

to button(verb)— button(noun)

③ " 儿化 "can change some expressions to words:

one Kuai or one piece(numeral+measure word)—

(adverb, means together.)

one dot (numeral+measure word)— a few (means

not much)

④ " 儿化 " sometimes is used to lighten up the tone:

good fun, embroidered ball, bowl, dish, no way.

Among northern dialects, that of Beijing has more

instances of such retroflexed finals, some words

can have "r" after it or not, but some words with different meanings can be differentiated using the retroflexed finals.

tì huàn liàn xí
替换练习

wǒ kě bù kě yǐ xiān zǒu
我可不可以先走?

wǒ kě bù kě yǐ zài lái
我可不可以再来?

wǒ kě bù kě yǐ hē shuǐ
我可不可以喝水?

hé nǐ de yí yàng ma
和你的一样吗?

hé wāng xiān sheng de shū yí yàng ma
和汪先生的书一样吗?

hé zuó tiān de huār shì yí ge pǐn zhǒng ma
和昨天的花(儿)是一个品种吗?

hé qián tiān de huì lǜ Zyí yàng ma
和前天的汇率一样吗?

xiān diǎn yí xiàr
先点一下(儿)

xiān kàn yí xiàr
先看一下(儿)。

xiān chá yí xiàr
先查一下(儿)。

xiān qù yí xiàr
先去一下(儿)。

Substitutional Drills

Could I go first?

Could I come again?

Could I drink some water?

Is it the same as yours?

Is it the same as Mr Wang's book?

Is it the same variety as the flowers from yesterday?

Is it the same exchange rate as the day before yesterday?

Count it first.

Have a look first.

Look it up first.

Go there for a little while first.

第十三课 修自行车
dì shí sān kè　　xiū zì xíng chē

huì huà
会话

your bike makes noises everywhere

A

xiào yuán zì xíng chē xiū lǐ chù
（校园自行车修理处。）

xiǎo jiāng　　shī fu　　wǒ xiǎng xiū chē
小 江： 师傅， 我想 修车。

jiǎ　　nǐ hǎo　　nǐ de chē yǒu shén me wèn tí
甲 ： 你好， 你的 车有 什么 问题？

xiǎo jiāng　wǒ zhè liàng chē chē líng bù xiǎng　qián zhá bù líng
小 江： 我这 辆 车车铃不 响， 前闸不灵，

hòu chē dài méi yǒu qì　　lìng wài　dǎng ní bǎn yì
后车带没有气。另外， 挡泥板一

qí jiù zhī zhī xiǎng
骑就吱吱响。

LESSON THIRTEEN
Repairing the Bicycle

 Dialogue

Master, I would like to get my bike repaired.

A

(School bicycle repaired corner.)

Xiao Jiang: Master, I would like to get my bike repaired.

A : Hello, what's the problem with your bike?

Xiao Jiang: My bike's bell doesn't ring, front

brake doesn't work, there's no air

in the rear tyre. And, the mud

flaps start making noises as soon

as I ride the bike.

jiǎ　　wǒ míng bai le　　nǐ zhè chē chú le líng bù xiǎng
甲：我明白了，你这车除了铃不响，

nǎr　　dōu xiǎng
哪(儿)都响。

xiǎo jiāng　　duì　　duì　　má fan nín bāng wǒ xiū xiu
小江：对，对，麻烦您帮我修修。

lǐ hóng　　tuī chē　　āi　　zhè bú shì xiǎo jiāng ma　　xiǎo
李红：(推车)哎，这不是小江吗？小

jiāng　　nǐ zài zhèr　　gàn shén me ne
江，你在这(儿)干什么呢？

xiǎo jiāng　　lǐ lǎo shī　　wǒ zài xiū zì xíng chē　　nín yě lái
小江：李老师，我在修自行车。您也来

xiū chē
修车？

lǐ hóng　　wǒ de chē méi qì le　　dǎ diǎnr　　qì　　shī fu
李红：我的车没气了，打点(儿)气。师傅，

qì tǒng zài nǎr
气筒在哪(儿)？

xiǎo jiāng　　lǐ lǎo shī　　wǒ lì qì dà　　wǒ lái bāng nín dǎ
小江：李老师，我力气大，我来帮您打

qì ba
气吧！

lǐ hóng hé xiǎo jiāng tuī chē zǒu
(李红和小江推车走

zài xiào yuán de lù shàng
在校园的路上。)

lǐ hóng　　zhè shì nǐ xīn mǎi de
李红：这是你新买的

zì xíng chē
自行车？

Hey, isn't that Xiao Jiang?

A　:I understand, your bike makes noises everywhere except for the bell.

Xiao Jiang: Yes, right, please help me fix it.

Li Hong: *(pushing bike along)* Hey, isn't that Xiao Jiang? Xiao Jiang, what are you doing here?

Xiao Jiang: Teacher Li, I'm getting my bike fixed. Are you here for bike repairs too?

Li Hong: My bike's out of air, I'm getting it pumped up. Where's the bike pump, Master?

Xiao Jiang: Teacher Li, I'm stronger, I'll help you pump !

(Li Hong and Xiao Jiang are pushing bikes along the road of the school.)

Li Hong: Is this the new bike you bought?

Right. I forgot to buy one just now.

xiǎo jiāng　shì a　shì xīn mǎi
小江：是啊，是新买

de　èr shǒu chē　cái
的二手车，才

bā shí kuài
80 块！

lǐ hóng　xiū wán chē jiù biàn chéng
李红：修完车就变成

yì bǎi èr shí kuài le
120 块了。

xiǎo jiāng　yǒu dào li　bù rú mǎi liàng xīn chē
小江：有道理，不如买辆新车。

liǎng rén qí chē
（两人骑车。）

lǐ hóng　xiǎo jiāng　qí màn diǎnr　wǒ dōu qí bú dòng
李红：小江，骑慢点(儿)，我都骑不动

le　nǐ qí de shì shān dì chē　pǎo de kuài
了。你骑的是山地车，跑得快。

xiǎo jiāng　duì bù qǐ　lǐ lǎo shī　wǒ yì qí zì xíng chē
小江：对不起，李老师。我一骑自行车

jiù xīng fèn　wǒ yě chéng wéi　zì xíng chē yì
就兴奋，我也成为"自行车一

zú　le　zhēn guò yǐn
族"了，真过瘾！

lǐ hóng　xiǎo jiāng　nǐ de zì xíng chē shàng shuì le ma
李红：小江，你的自行车上税了吗？

xiǎo jiāng　hái méi yǒu　wǒ míng tiān qù shàng shuì
小江：还没有。我明天去上（税）。

Xiao Jiang: Yes, it's a newly bought second hand bike,only 80 Yuan!

Li Hong: After repairs the bike is now 120 Yuan.

Xiao Jiang: That makes sense, better off buying a new bike.

(riding bikes.)

Li Hong: Xiao Jiang,ride slower, I can hardly keep up. You're riding a mountain bike, it goes faster.

Xiao Jiang: Sorry, Teacher Li. I get excited as soon as I ride a bike, now I'm part of the "bike people", it feels terrific!

Li Hong: Xiao Jiang, have you paid tax on your bike yet?

Xiao Jiang:I haven't yet. Tomorrow I'm going to pay *(tax).*

I think you also need to buy a bike basket.

lǐ hóng　　 yī wǒ kàn　　 nǐ hái xū yào mǎi yí ge chē kuāng
李红：依我看，你还需要买一个车筐。

xiǎo jiāng　 duì　　 gāng cái wàng le mǎi le
小江：对，刚才忘了买了。

B

shī fu　 zhèr　　 zū chē ma
Liz：师傅，这(儿)租车吗？

jiǎ　　 zū chē　 nín zū shén me yàng de chē　　 nán chē
甲：租车。您租什么样的车？男车？

nǚ chē　 shān dì chē hái shì sài chē
女车？山地车还是赛车？

zhè me duō zhǒng　 dāng rán shì nǚ chē la　　 běi jīng
Liz：这么多种。当然是女车啦！北京

lì jiāo qiáo duō　　 hái shì zū liàng shān dì chē ba
立交桥多，还是租辆山地车吧！

jiǎ　　 shān dì chē yì xiǎo shí shí yuán　　 nín zū duō cháng
甲：山地车一小时 10 元，您租多长

shí jiān
时间？

sān ge xiǎo shí
Liz：三个小时。

jiǎ　 qǐng nín jiāo sān bǎi yuán yā jīn
甲：请您交三百元押金。

nín yào shén me yán sè de
Liz：您要什么颜色的？

nà biān nà liàng hóng sè de ba
那边那辆红色的吧！

Master, do you hire out bikes here?

Li Hong: I think you also need to buy a bike basket.

Xiao Jiang: Right, I forgot to buy one just now.

B

Liz: Master, do you hire out bikes here?

A : Yes, we hire out bikes. What sort of bike would you like to hire? Men's bike? Women's bike? Mountain bike or racing bike?

Liz: So many types. Of course I want a women's bike! Beijing has so many overpasses, I'd better hire a mountain bike!

A : Mountain bikes cost 10 Yuan per hour, how long are you hiring it for?

Liz: Three hours.

A : Please pay 300 Yuan deposit. What colour would you like?

Yes, we hire out bikes.

Liz: The red one over there!

 常用语句

lìng wài
另外

chú le líng bù xiǎng nǎr dōu xiǎng
除了铃不响，哪(儿)都响。

zhè bú shì ma
这不是……吗？

zhè bú shì xiǎo jiāng ma
这不是小江吗？

qì tǒng zài nǎr
气筒在哪(儿)？

cái èr shí yuán
才 20 元。

yī jiù
一……就……

yì qí zì xíng chē jiù xīng fèn
一骑自行车就兴奋。

shén me yán sè
什么颜色？

 生词

shī fu
师傅

xiū chē
修车

chē líng
车铃

dǎng ní bǎn
挡泥板

qì tǒng
气筒

chē kuāng
车筐

🫖Common Expressions

Also

Except for the bell, everything makes noises.

Isn't that...?

Isn't that Xiao Jiang?

Where's the bike pump?

It's only 20 Yuan.

As soon as...

As soon as I ride a bike I get excited.

What colour?

🫖 Vocabulary

Master	Bike bell	Bicycle pump(or inflator)
Repair bike	Mud flap	Bicycle basket

èr shǒu chē
二手车

dǎ qì
打气

qián zhá
前闸

hòu zhá
后闸

zū chē
租车

chē xiǎng
车响

líng bù xiǎng
铃不响

nán chē
男车

nǚ chē
女车

shān dì chē
山地车

sài chē
赛车

yā jīn
押金

xīng fèn
兴奋

zhēn guò yǐn
真过瘾

chéng wéi
成为

yì zú
一族

jiāo
交

yán sè
颜色

chē liàng
车辆

wén huà bèi jǐng zhī shi
文化背景知识

中国——自行车的王国

众所周知，中国是自行车的王国。在中国各地每天都有近亿辆自行车出现在大街小巷上，它成为中国老百姓每天上班购物等必不可少的代步工具。

每天的清晨和傍晚，中国各地大中小城市中，街道车水马龙，其中潮水般的自行车是国外旅游者在其他国家很难见到的景象。自行车是城市交

second hand bike	bike for men	become
inflate	bike for women	people (type of)
front brake	mountain bike	pay
rear brake	racing bike	colour
rent a bike	deposit	vehicle
bike noises	excited	
bell doesn't ring	feel terrific	

Cultural Background

China — Kingdom of Bicycles

It's a well-known fact that China is the kingdom of bicycles. All around China there are hundreds of millions of bikes that appear on the streets and alleys each day, it's become an essential means of transport for China's citizens to go to work and shopping everyday.

Every day in the morning and in the evening, you'll often see congested streets in cities across China, the sea of bicycles is something not often seen by overseas tourists in other countries. Bikes make up an important component of urban

通的重要组成部分。多年来，自行车是人们出行选择的交通工具之一。骑自行车人主要以上班、上学和生活购物为主。它的主要特点为：

1. 方便、灵活，能够自我掌握活动的时间，机动性强，尤其在拥挤的车流中穿行能力强；

2. 选择自行车为出行的交通工具投资少，购置和使用成本低，维修便利；

3. 还能强化人们锻炼身体。不消耗能源，不造成环境污染。

自行车使用的合理距离一般在十千米以内。大部分城市居民在这一出行距离内基本上首选自行车。因此，几乎家家户户至少有一辆自行车。

自行车在各大商店都可以买到。此外，各地在繁华的商业区，还设有自行车专卖店。

各种自行车琳琅满目，普通自行车、山地车、赛车、变速车、还有电动自行车。一般自行车的价格在300～500元之间，山地车的价格在700～1900元之间不等。

traffic. For many years, the humble bike was the trusty method of transport for people. People ride bikes to go to work, school and shopping. Its main characteristics are:

1. Convenience, flexibility and easy to maneuver in traffic;

2. Economical, easy to fix;

3. Environmentally friendly, energy-efficient and good for fitness.

A reasonable distance for bike rides is within ten kilometers. Most urban residents choose to ride their bikes within this distance and hence almost every household has at least one bike.

Bicycles are sold in all major stores. Also, you will find specialty bicycle stores in busy commercial areas, where you can choose from normal bikes, mountain bikes, racing bikes, and electric bikes. Normally bikes's prices range from 300 ~ 500 Yuan, whereas mountain bikes can cost anything from 700 Yuan to 1900 Yuan, or even more.

There are a few ways to buy second hand bikes:

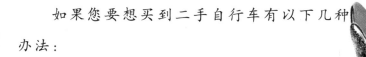
如果您要想买到二手自行车有以下几种办法：

1. 在校园里可以从同学处或经人介绍买到二手车；

2. 一些城市有典当行也可以买到二手车；

3. 也有人在网上出售二手车。

到中国进行短期旅游者可以租自行车，各地的许多大饭店都有出租自行车的业务，但需事先支付押金，通常每日租金在20～30元左右。若想对您所旅游的地方有较为详细的了解，不妨交一定的押金，租一辆半新的自行车，骑自行车在马路、胡同、大街、小巷观光比坐出租车更为过瘾。

如果您决定在某地住段时间，为解决交通问题而买辆自行车的话，请别忘了上车税。买车的时候可以问卖车的售货员在哪儿可以办理上税的手续。骑车上街的时候，要注意遵守交通规则，一般较为

1. In the school second hand bikes can be bought from classmates or acquaintances;

2. Beijing also has some used dealers that sell second hand bikes.

3. Internet sales of second hand bikes are now popular too.

Short-term Beijing tourists can hire bikes after paying a deposit of around 20~30 Yuan per day, many hotels offer bike hire services. Seeing China's streets, alleys and quaint hutongs on two wheels is much more enjoyable and offers a much more in-depth experience than a tour in a taxi.

Should you decide to stay in Beijing for a while, and decide to buy a bike as a means of transport, don't forget to pay your bike tax. You can ask the sales person where to pay the tax when you buy the bike. Remember to abide by traffic rules when riding on the streets, normally the wider streets would have special bike

大一点儿的街道都有自行车专行道，在较窄的街道或路面行驶时要特别小心，注意安全。

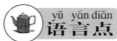

语言点

1 "除了……都……"

在这里"除了"表示在什么……之外，还有别的什么，后面还可跟"还"字相互应。

例如："除了英语，他还会法语和德语。"

"除了会骑自行车，他还会开汽车。"

2 "才"

表示刚刚，时间不长，或不多。

例如："他8点钟才起床。"或"这车才80元。"（表示很便宜）

lanes, and you need to be especially careful when riding in the narrow streets.

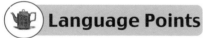 **Language Points**

1. " 除了……都…… " — here" 除了 " means that aside from ..., there is something else, so it is often paired with " 还 " or "also".

For example:

"Aside from English, he also knows French and German." "Besides being able to ride the bicycle, he also knows how to drive."

2. " 才 " means just, the time has not been long or something does not cost much.

For example:

"He just got up at 8 o'clock." or "This bike is only 80 Yuan. "(indicates it is cheap)

③ "就"

表示仅仅。除了这个没有其他的了。选择范围很小，几乎没有。

例如："就一辆车。""就剩一双这个号码的鞋了。"

④ "一……就……"

有时表示两件事紧接着发生；有时前一分句表示条件，后一分句表示结果。

例如："我一骑自行车就兴奋。"

"一上课我就困。"

"一下课就去打球。"

⑤ "你买……了吗？"

已完成动作，可加"已经"。

例如："我吃了。""我已经吃了。"

⑥ "什么颜色的？"

在这里"的"后面名词"车"被省略掉。

例如："那个高个儿的(人)。"

"红颜色的(车、帽子)。"

3 "就" means only. There is no alternative or almost no room for choice.

For example:

"Just one bike." "Just one pair of this sized shoes left."

4 "一……就……" sometimes denotes the successive occurrence of two events; the first portion states the condition, the latter states the result.

For example:

"As soon as I ride a bicycle I get excited. "

"As soon as I'm in class I get sleepy. "

"As soon as I finish classes I go to play ballsports."

5 "你买……了吗？ " — asked if the act is already finished, " 已经 "or "already" can be added.

For example:

"I've already eaten."

6 " 什么颜色的？ " — "What colour? " Here the noun "bike" after the " 的 " has been left out.

For example:

"The tall one (person). "

"The red one (vehicle, hat). "

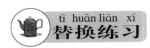

tì huàn liàn xí
替换练习

tā men yí fàng jià jiù qù lǚ xíng le
他们一放假就去旅行了。

tā yì xīng fèn jiù chàng gē
他一兴奋就 唱 歌。

yí xià xuě lù jiù hěn huá
一下雪，路就很滑。

chú le xiǎo jiāng zài jiào shì xué xí wài
除了小 江 在教室学习外，
qí tā rén dōu qù wánr le
其他人都去玩(儿)了？

chú le yǔ fǎ shū wài qí tā shū dōu mài wán le
除了语法书外，其他书都卖 完了。

chú le liǎng zhāng zhuō zi shèng xia de dōu shì yǐ zi
除了两 张 桌子，剩下的都是椅子。

xiǎo jiāng zài nǎr
小 江 在哪(儿)?

shū zài nǎr
书在哪(儿)?

yín háng zài nǎr
银 行在哪(儿)?

shāng diàn zài nǎr
商 店在哪(儿)?

Substitutional Drills

As soon as holidays started they went travelling.

Whenever he gets excited he sings.

Whenever it snows, the road is slippery.

Aside from Xiao Jiang who is studying in the classroom, where have all the others gone to play?

Aside from the grammar books, the other books are all sold out.

Aside from two tables, only chairs remain.

Where is Xiao Jiang?

Where is the book?

Where is the bank?

Where is the store?

dì shí sì kè zuò chū zū chē

第十四课　坐出租车

huì huà 会话

 A

zài xiào yuán lǐ
(在校园里。)

jiǎ　　　nǐ hǎo
甲：你好！

xiǎo jiāng　nǐ hǎo
小江：你好！

jiǎ　　xiǎo jiāng　nǐ yào qù nǎr
甲：小江，你要去哪(儿)？

xiǎo jiāng　wǒ yào qù fàn guǎn chī fàn　wǒ de biǎo tíng le
小江：我要去饭馆吃饭。我的表停了。

xiàn zài jǐ diǎn le
现在几点了？

jiǎ　　sì diǎn wǔ shí
甲：四点五十。

xiǎo jiāng　huài le　wǎn le　w
小江：坏了，晚了！我

děi dǎ dī qù le
得"打的"去了

xiǎo jiāng　kàn qián bāo děi dǎ liàn
小江：(看钱包)得打轿

pián yi de
便宜的。

What's the time now?

LESSON FOURTEEN
Taking Taxis

 Dialogue

A

(At school ground.)

A : Hello!

Xiao Jiang: Hello!

A : Xiao Jiang, where are you going?

I have to go there by taxi.

Xiao Jiang: I'm going to eat at a restaurant. My watch has stopped, what's the time now?

A : Four fifty.

Xiao Jiang: Oh no, it's late! I have to go there by taxi.

Xiao Jiang: *(looks at wallet)* need to take a cheap taxi.

xiǎo jiāng zài jiàn
小 江：再见！

jiǎ zài jiàn
甲：再见！

chū zū chē sī jī nín hǎo nín qù nǎr
出租车司机：您好！您去哪(儿)?

xiǎo jiāng shī fu wǒ qù quán jù dé kǎo yā diàn
小 江：师傅，我去全聚德烤鸭店。

chū zū chē sī jī qǐng wèn shì nǎ yì jiā kǎo yā diàn
出租车司机：请问是哪一家烤鸭店？

xiǎo jiāng kàn dì tú shì hé píng mén nà jiā
小 江：(看地图)是和平门那家。

chū zū chē sī jī wǒ men zǒu nǎ tiáo lù
出租车司机：我们走哪条路？

xiǎo jiāng dōu yǒu nǎ xiē lù ne
小 江：都有哪些路呢？

chū zū chē sī jī wǒ men yào me zǒu dì tiě lù yào me
出租车司机：我们要么走地铁路，要么

zǒu nán èr huán lù
走南二环路。

xiǎo jiāng nǐ shuō zǒu nǎ tiáo lù hǎo
小 江：你说走哪条路好？

chū zū chē sī jī zǒu dì tiě lù jìn yì xiē dàn shì chéng
出租车司机：走地铁路近一些，但是城

lǐ dǔ chē nán èr huán yuǎn yì xiē kě
里堵车；南二环远一些，可

shì méi yǒu jiāo tōng dēng bǐ jiào hǎo zǒu
是没有交通灯，比较好走。

xiǎo jiāng nà jiù zǒu nán èr huán ba
小 江：那就走南二环吧！

Xiao Jiang: Good-bye.

A : Good-bye.

Taxi driver: Hello! Where are you going?

Xiao Jiang: Master,I'm going to the Quanjude

Roast Duck Restaurant.

Taxi driver: Which roast duck restaurant?

Xiao Jiang: *(looks at map)* The one at Hepingmen.

Taxi driver: Which way should we go by?

Xiao Jiang: Which ways are there?

Taxi driver: We either go the same way as

the subway, or take the southern

second ring road.

Xiao Jiang: Which way do you think is better?

Taxi driver: The subway route is shorter, but

there is traffic congestion in the

city; the southern second ring

road is further away, but there

are no traffic lights, it's easier.

Xiao Jiang: Then take the southern second ring road!

B

liú míng xiàng chū zū chē zhāo shǒu
（刘明 向 出租车招手。）

sī jī　　　nín hǎo　　qǐng wèn nín qù nǎr
司机：您好！ 请问您去哪(儿)

liú míng　　shī fu　　wǒ xiān qù měi shù guǎn　rán hòu zài dào
刘明：师傅，我先去美术馆，然后再到

zhōng guó dà fàn diàn
中 国大饭店。

sī jī　　měi shù guǎn dào le
司机：美术馆到了。

liú míng　má fan nín shāo děng wǒ liǎng fēn zhōng
刘明：麻烦您稍等我两分钟，

wǒ qǔ yí xià dōng xi jiù huí lái
我取一下东西就回来。

sī jī　　qǐng nín fù shí yuán yā jīn　　xiè xie
司机：请您付十元押金，谢谢。

B

(Liu Ming waves.)

driver: Hello! Where are you going?

Liu Ming: Master, I'm going to the Art Gallery,

then to the China World Hotel.

driver: We're here at the Art Museum.

Liu Ming: Please wait for two minutes, I'll be

back after I pick up something.

driver: Please leave a ten Yuan deposit,

thanks.

刘明：谢谢您！我们走吧！师傅，从美术馆到中国大饭店需要多长时间？

司机：不好说。如果不堵车，大约需要二十分钟。

刘明：如果堵车呢？

司机：也许五十分钟，也许两个小时……

刘明：谢天谢地，不到一小时就到了。师傅，多少钱？

司机：（打票）三十五元。

刘明：（交钱）给您。

司机：谢谢。给您发票。别忘了带上您的东西。

Liu Ming: Thank you! Let's go! Master, how much time does it take from the Art Gallery to the China World Hotel?

driver: Hard to say. If there's no traffic jam, maybe around 20 minutes.

Liu Ming: If there is a traffic jam?

driver: Maybe 50 minutes, maybe 2 hours......

Liu Ming: Thank god, we got here within an hour. Master, how much is it?

driver: *(Prints out receipt.)* Thirty five Yuan.

Liu Ming: *(Pays)* Here it is.

driver: Thanks. Here's your receipt. Don't forget to take your belongings.

Thank you. Here's your receipt.

常用语句
cháng yòng yǔ jù

从……到……多长时间？
cóng dào duō cháng shí jiān

从美术馆到中国大饭店需
cóng měi shù guǎn dào zhōng guó dà fàn diàn xū

要多长时间？
yào duō cháng shí jiān

先……再……
xiān zài

先去美术馆，再到中国大饭店。
xiān qù měi shù guǎn zài dào zhōng guó dà fàn diàn

要么……要么……
yào me yào me

要么走地铁路，要么走南二环路。
yào me zǒu dì tiě lù yào me zǒu nán èr huán lù

我得"打的"去了。
wǒ děi dǎ dī qù le

生词
shēng cí

打的
dǎ dī

师傅，我要去……
shī fu wǒ yào qù

堵车
dǔ chē

走哪条路？
zǒu nǎ tiáo lù

那就是
nà jiù shì

稍等
shāo děng

🫖 Common Expressions

How long does it take from...to...?

How long does it take from the Art Museum to the

China World Hotel?

First...then...

First we go to the Art Museum, then to the China

World Hotel.

Either...or...

Either go the same way as the subway, or take

the southern second ring road.

I have to go there by taxi.

🫖 Vocabulary

take a taxi	which route do we use?
Master, I'm going to...	That's it.
traffic jam	Wait a moment.

qǐng nín fù shí yuán yā jīn
请您付十元押金。

xiān qù
先去

zài dào
再到

cóng　　　 dào
从……到……

xū yào duō cháng shí jiān
需要多长时间？

duō shǎo qián
多少钱？

bié wàng le
别忘了

dài shàng
带上

dōng xi
东西

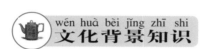

wén huà bèi jǐng zhī shi
文化背景知识

北京的出租车

在北京市中心，一般在街道上随处都可以招手叫到出租车，但是长安街除外。因为从复兴门至建国门的长安街上不允许出租车空车行进并严禁停车载客。经常可以看到一些外国人站在长安街两旁焦急地等待和不断地招手，但没有一辆出租车停下来。这就是因为他们不知道

Please leave a 10 Yuan deposit.	How much does it cost?
Go... first	Don't forget.
Then we go to...	bring
from...to...	belongings
How much time does it take?	

 ## Cultural Background

Beijing's Taxis

In central Beijing, taxis can usually be hailed easily on the street, but not on Chang an Avenue. Because the part of Chang An Avenue from Fuxingmen to Jianguomen doesn't allow vacant taxis and prohibits taxis from stopping. It's not unusual to see foreigners standing along Chang An Avenue waiting and waving in frustration, but no taxi stops. This is because they don't know about the regulation.

北京的这些规定。如果想在长安街的附近乘坐出租车，请到辅路上招手叫车。

北京的出租车车型大致分为夏利、捷达、富康、桑塔纳、现代等五种。出租汽车司机基本上着统一的服装上岗并每天对驾驶的出租车进行

严格的消毒。每辆出租车顶部都标有中英文标志。出租车门两侧均印有××出租公司字样。出租车内都有乘车须知，并配有计时器和里程价格显示器。目前，北京出租车按千米收费，每千米 1.2 元、1.6 元和 2 元不等。

北京有时路面上会出现黑车（即：非正规出租车），有非法拉乘客的现象，这时候一定要注意出租车号。正规的出租车一般为京 B ×××××，车上都有顶灯，在方向盘右侧均有服务标志牌，上面写有司机姓名，并有出租车司机照片和所属公司的电话号码。

If you want to take a taxi near Chang An Avenue, you'd better stand by assistant road and wave to a taxi driver.

Beijing's taxis are usually Xiali, VW Jetta, Citroen, Santana, Crown models. Taxi drivers are mostly in uniform, the taxi's are topped with signs in English and Chinese, on the sides of the taxi doors are printed the name of the taxi company. Every taxi has an information sign for passengers, as well as fare meters and mileage meters. At present,Beijing's taxis charge by the kilometer, prices range from 1.2 Yuan, 1.6 Yuan to 2 Yuan.

Sometimes irregular taxis (referred to as "black cars") appear on the streets of Beijing, that is, private cars deciding to take passengers, under these circumstances one should take note of the number plates. Normal taxi plates are 京B × × × × ×, taxis are fitted with top lights and on the right hand side of the dashboard should be a service label, printed with the driver's name, the company's name and its phone number.

请注意：如果遇到出租车顶部没有指示灯，请不要乘坐；如果您所要去的目的地经过收费站或走高速公路需交过桥费，这个费用由乘车人缴纳；如果您想租用一天、一个月、半年或长期租用，可以包车，但要提前谈好价格，交一定的押金。

　　下车时，应注意要发票。乘坐中国的出租车不需付小费。

 yǔ yán diǎn
语言点

1 "**得**"

这里的"得"表示必须，不得迟疑。

例如：得去上课了，不然要迟到了。

　　　　得去医院，我头很疼。

　　　　没钱了，我得省着点儿花。

2 "**要么……要么……**"

表示假设和选择，二者选其一。

Please note:

Please do not take taxis that do not have toplights;

If en route to your destination there are toll roads or toll bridges, the tolls should be borne by the passenger;

If you want to hire a taxi for a day, a month, half a year or even longer, but deposits are needed and prices should be negotiated upfront.

Don't forget to collect the receipt when getting off. It is not customary to give tips to taxi drivers in china.

 ## Language Points

1 "得"— "must" means something of necessity and does not permit hesitation.

For example:

Must go to class, otherwise I'll be late.

Have to go to hospital, my head hurts a lot.

Got almost no money left, I have to spend it wisely.

2 " 要么……要么…… " — "either...or..." puts forward options among which selection can be made.

例如：要么去海南，要么去黑龙江。

要么骑车去，要么走着去。

③ "先……再……"

表示时间和动作的先后顺序。

例如：我先去北京，再去昆明。

你先去学校，再去电影院。

④ "从……到……"

表示时间和距离长短。

例如：从早八点到下午三点。

从天安门到建国门外有三站地。

注释

① "请付十元押金。"在中国坐出租车，如果在中途下车需要司机等一会儿，然后再走的话，一定要留下押金，否则司机不会等待。

① "谢天谢地"感叹词。表示有急事办，时间上来不及，经过努力没有误点儿而松了一口气。

For example:

Either go to Hainan, or go to Heilongjiang.

Either go there by bike, or on foot.

③ "先……再……"—"first...then..." sets out the time and sequence of the actions.

For example:

I go to Beijing first, then to Kunming.

You go to school first, then to the cinema.

④ "从……到……"—"From...to..." shows length in time and distance.

For example:

From eight in the morning to three in the afternoon.

From Tian'anmen to Jianguomenwai is three bus stops.

🫖 Explanatory Notes

① "Please leave ten Yuan deposit." When taking taxis in China, if you need to leave the taxi and have the driver wait for a while before leaving again, a deposit must be left, otherwise the driver won't wait.

② "Thank god" exclamatory remark. Indicates that there was an urgent matter to attend to, time had been running out, but after much work the deadline was met and now it is time to show relief.

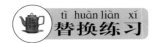

tì huàn liàn xí
替换练习

cóng běi jīng dào tiān jīn
从 北京 到天津

cóng dōng běi dào xī běi
从 东北到西北

cóng zhōng guó dào měi gu
从 中 国到美国

cóng zǎo dào wǎn
从 早到晚

cóng jiā dào xué xiào
从 家到学 校

wǒ děi huí jiā le　　yào bù jiù tiān hēi le
我得回家了，要不就天黑了。

wǒ děi qù shāng diàn　　yào bù jiù guān mén le
我得去商 店，要不就关 门了。

děi qù shàng bān le　　yào bù jiù wǎn le
得去上班了，要不就晚了。

yào me chī kǎo yā　　yào me chī shuàn yáng ròu
要么吃烤鸭，要么吃涮 羊 肉。

yào me qù qīng dǎo　　yào me qù yān tái
要么去青岛，要么去烟台。

yào me chuān bái chèn yī　　yào me chuān hóng chèn yī
要么穿 白衬 衣，要么穿 红 衬 衣。

xiān zuò gōng gòng qì chē　　zài huàn chéng dì tiě
先坐公 共 汽车，再换 乘 地铁。

xiān xǐ zǎo　　zài shuì jiào
先洗澡，再睡觉。

xiān fù xí xué guò de kè wén　　zài jiǎng xīn kè
先复习学 过的课文，再讲 新课。

Substitutional Drills

from Beijing to Tianjin

from northeast to northwest

from China to America

from morning to night

from home to school

I have to go home,
otherwise it will get dark.

I have to go to the shop, otherwise it will shut.

I have to go to work, otherwise I'll be late.

Either have roast duck, or have lamb hotpot.

Either go to Qingdao, or go to Yantai.

Either wear a white shirt, or wear a red shirt.

First take the bus, then transfer
to the subway.

First take a shower, then go to sleep.

First revise the school text already

learnt, then start on a new lesson .

第十五课　坐汽车
dì shí wǔ kè　zuò qì chē

huì huà
会话

Today is Saturday.

A

（在家里。）
zài jiā lǐ

兰兰：妈妈，今天是星期六，您和爸爸都
lán lan　mā ma　jīn tiān shì xīng qī liù　nín hé bà ba dōu

　　　休息，能带我去动物园吗？
　　　xiū xi　néng dài wǒ qù dòng wù yuán ma

李红：问问你爸爸是否同意？
lǐ hóng　wèn wen nǐ bà ba shì fǒu tóng yì

兰兰：爸爸，我想去动物园，您能陪
lán lan　bà ba　wǒ xiǎng qù dòngwù yuán　nín néng péi

　　　我去吗？
　　　wǒ qù ma

刘明：好啊，我们全家一起去！
liú míng　hǎo a　wǒ men quán jiā yì qǐ qù

LESSON FIFTEEN
Taking Buses

 Dialogue

Ask your dad to see if he agrees?

(At home.)

Lan Lan: Mom, today is Saturday, both you and dad have the day off, Can you take me to the zoo?

Li Hong: Ask your dad to see if he agrees?

Lan Lan: Dad, I want to go to the zoo. Can you go with me?

Liu Ming: Good, we'll go as a whole family!

zài qì chē zhàn
（在汽车站。）

刘　　明：
liú　　míng
láo jià　qǐng wèn　zhè liàng chē shì qù dòng
劳驾，请问，这辆车是去动
wù yuán fāng xiàng de ma
物园方向的吗？

甲：
jiǎ
bú qù　nǐ yīng gāi chéng zuò yāo líng sān
不去。你应该乘坐 1 0 3
lù chē
路车。

李　　红：
lǐ　　hóng
yāo líng sān lù chē zhàn zài nǎr
1 0 3 路车站在哪(儿)？

甲：
jiǎ
nǐ yán zhe zhè tiáo mǎ lù wǎng qián zǒu
你沿着这条马路往前走，
dì èr ge lù kǒu wǎng yòu guǎi jiù shì
第二个路口往右拐就是。

李红 / 刘明：
lǐ hóng/ liú míng
xiè xie nín
谢谢您。

甲：
jiǎ
bú kè qi
不客气。

There are two stops.

B

zài qì chē shàng
（在汽车上。）

小江：
xiǎo jiāng
shī fu　mǎi yì zhāng piào
师傅，买一张票。

甲：
jiǎ
nín hǎo　nín dào nǎr
您好！您到哪(儿)？

小江：
xiǎo jiāng
wǒ yào qù wáng fǔ jǐng
我要去王府井。

(At the bus stop.)

Liu Ming: Excuse me, can you tell me if this bus is going in the zoo's direction?

A : No. You should take the number 103 electric cablecar.

Li Hong: Where is the bus stop for the number 103 electric cablecar?

A : You should go along this road, turn right at the second intersection.

Li Hong/

Liu Ming: Thank you.

A : You're welcome.

B

No.You should take the number 103

(On the bus.)

Xiao Jiang: Master, I want to buy a ticket.

A : Hello! Where are you going ?

Xiao Jiang: I want to go to Wangfujing.

甲 ： yì yuán qián gěi nín piào
一 元 钱，给 您 票。

xiǎo jiāng qǐng wèn   dào wáng fǔ jǐng jǐ zhàn dì
小 江：请 问，到 王 府 井 几 站 地?

jiǎ   liǎng zhàn dì
甲 ： 两 站 地。

xiǎo jiāng dào zhàn shí qǐng gào su wǒ yí xia   hǎo ma
小 江：到 站 时 请 告 诉 我 一 下，好 吗?

jiǎ   hǎo de   qǐng fú hǎo
甲 ： 好 的，请 扶 好。

C

lǐ lǎo shī hé xiǎo jiāng zài lù shàng xiāng yù
(李 老 师 和 小 江 在 路 上 相 遇。)

xiǎo jiāng lǐ lǎo shī   xià bān la
小 江：李 老 师，下 班 啦?

lǐ hóng xiǎo jiāng zhōu mò qù nǎ wánr   a
李 红：小 江，周 末 去 哪 玩(儿) 啊?

xiǎo jiāng wǒ xiǎng qù pá xiāng shān lǐ lǎo shī   wǒ yīng
小 江：我 想 去 爬 香 山。李 老 师，我 应

gāi zuò jǐ lù chē
该 坐 几 路 车?

lǐ hóng   nǐ xiān zài xué xiào
李 红：你 先 在 学 校

mén kǒu zuò sān qī wǔ
门 口 坐 3 7 5

lù dào dòng wù yuán
路 到 动 物 园，

A :One Yuan, here's the ticket.

Xiao Jiang: Can you tell me how many stops

are there to Wangfujing?

A :There are two stops.

Xiao Jiang: Would you please let me know

when we get to the stop.

A :Ok, please hold on.

C

(Teacher Li meet XiaoJiang on the way .)

Xiao Jiang: Teacher Li, finished work?

Li Hong : Xiao Jiang, where are you going

on the weekend?

Xiao Jiang:I want to climb Xiangshan.

Which bus should I take,

Teacher Li?

Li Hong : First you take the No. 375 bus

at the school entrance to the

zoo, then change to the No.

rán hòu zài huàn
然后再换

chéng sān sān bā
乘 3 3 8

lù qì chē　xiāng
路汽车。香

shān gōng yuán shì
山 公 园 是

zhōng diǎn zhàn
终　点站。

xiǎo jiāng　xiè xie lǐ lǎo shī
小 江：谢谢李老师。

D

zài jiā lǐ
（在家里。）

lán lan　mā ma　wǒ tóng xué yuē wǒ míng tiān qù qián mén
兰兰：妈妈，我同学约我明天去前门，

wǒ zuò jǐ lù chē
我坐几路车？

lǐ hóng　ràng wǒ xiǎng xiang　cóng zán men jiā xiān zuò
李红：让我想想……，从咱们家先坐

èr shí yī lù dào mù xī dì　rán hòu zài huàn chéng
21 路到木樨地，然后再换乘

yī lù dào tiān ān mén　xià chē hòu zài xiàng nán
1 路到天安门，下车后再向南

zǒu yí zhàn dì jiù dào qián mén le
走一站地就到前门了。

liú míng　āi ya　zhè yě tài má fan le　nǐ bù rú zuò dì
刘明：哎呀，这也太麻烦了。你不如坐地

338 bus. Xiangshan park is the
final stop.

Xiao Jiang: Thanks Teacher Li.

Thanks Teacher Li.

D

(At home.)

Lan Lan: Mom, my classmates asked me to
go to Qianmen with them tomorrow,
which bus should I take?

Li Hong: Let me see..., from our home first you
take the No.21 bus to Muxidi, then
change to the No.1 bus to Tian'anmen,
after you get off, walk one stop to
the south and you get to Qianmen.

Liu Ming: Oh, that's too much trouble. You're

tiě　　yòu jiǎn dān　　yòu bù dǔ chē
铁，又简单，又不堵车。

lán lan　　zuò dì tiě　　hǎo zhú yi　　kuài gào su wǒ zěn
兰兰：坐地铁？好主意！快告诉我怎

me zǒu
么走？

liú míng　　nǐ xiān zuò èr shí yī lù dào jūn shì bó wù guǎn xià
刘明：你先坐 21 路到军事博物馆下

chē　　rán hòu huàn chéng zhí xiàn dì tiě zuò dào fù
车，然后换 乘直线地铁坐到复

xīng mén　　zài gǎi chéng huán xiàn dì tiě jiù kě yǐ
兴门，再改乘 环线地铁就可以

dào qián mén le
到前门了。

lǐ hóng　　zhí xiàn dì tiě bú dào qián mén ma
李红：直线地铁不到前门吗？

liú míng　　zhí xiàn dì tiě zhǐ dào tiān ān mén　　xià chē hòu nǐ
刘明：直线地铁只到天安门，下车后你

děi zǒu dào qián mén
得走到前门。

lán lan　　hǎo zhú yi
兰兰：好主意！

wǒ jiù àn bà
我就按爸

ba shuō de bàn
爸说的办，

wǒ bù xǐ huan
我不喜欢

huàn chē
换车。

it's simple and there's no congestion.

better off taking the subway, it's simple and there's no congestion.

Lan Lan: Take the subway? Good idea! Quick, tell me how?

Liu Ming: First you take the No.21 bus to the Military Museum, then change to the straight line subway to Fuxingmen, then change to the loop subway and you'll get to Qianmen.

Li Hong: Doesn't the straight line subway stop at Qianmen?

Liu Ming: The straight line subway only stops at Tian'anmen, you'd have to walk to Qianmen after getting off.

Lan Lan: Good idea! I'll do as dad said, I don't like changing buses.

cháng yòng yǔ jù
常 用 语 句

yán zhe
沿着……

yán zhe zhè tiáo mǎ lù wǎng qián zǒu
沿着这条马路往 前走。

nǐ yīng gāi
你应该……

nǐ yīng gāi chéng zuò yāo líng sān lù chē
你应该 乘 坐 １０３ 路车。

wǒ zuò jǐ lù chē
我坐几路车？

xiān rán hòu
先……然后……

xiān zuò èr shí yī lù rán hòu huàn chéng zhí xiàn dì tiě
先坐 21 路，然后 换 乘 直线地铁。

yòu yòu
又……又……

yòu jiǎn dān yòu bù dǔ chē
又简单，又不堵车。

nǐ bù rú
你不如……

nǐ bù rú zuò dì tiě
你不如坐地铁。

🫖Common Expressions

Along...

Go forward along this road.

You should...

You should take the No. 103 electric cablecar.

Which bus should I take?

First ...then...

First you take the No.21 bus, then change to the

straight line subway.

It's...and...

It's simple, and there's no traffic jam.

You're better off...

You're better off taking the subway.

shēng cí
生词

diàn chē
电车

gōng gòng qì chē zhàn
公共汽车站

mǎi piào
买票

nín dào nǎr
您到哪(儿)?

dào zhàn
到站

fú hǎo
扶好

zuò jǐ lù chē
坐几路车?

zhōng diǎn zhàn
终点站

zhí xiàn dì tiě
直线地铁

huán xiàn dì tiě
环线地铁

dǔ chē
堵车

huàn chéng
换乘

jǐ zhàn dì
几站地

fù xīng mén
复兴门

wáng fǔ jǐng
王府井

qián mén
前门

tiān ān mén
天安门

jiǎn dǎn
简单

má fan
麻烦

zhú yi
主意

xiāng shān
香山

dòng wù yuán
动物园

lù kǒu
路口

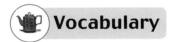

Vocabulary

tram, electric cablecar

bus stop

buy tickets

where are you going?

The stop is here.

Hold on

Which bus to take?

final stop, terminus

No.1 (straight line) subway

loop line (subway)

traffic jam, congestion

transfer, change

How many stops

Fuxingmen

Wangfujing

Qianmen

Tian'anmen

simple

trouble, complicated

idea

Xiangshan, Fragrant Hills

zoo

intersection

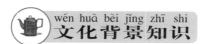

wén huà bèi jǐng zhī shi
文化背景知识

北京的公交车

北京市内的公共汽车、电车、出租车、地铁等非常发达，线路很多，四通八达。北京公交总公司拥有运营线路700多条。其中1路~122路为市区线路，票价1元；300路~949路为郊区线路，12千米以内票价1元，每增

加5千米加价0.50元；"8"字头线路为空调客车，票价2元；有"特"字头的特线双层车，票价2元；有"游"字头的旅游景点专车线路，票价根据景点而定；"6、7、8、9、"字头线路为普通车；"9"字头的公交车行使线路较长，最长的线路达到106千米。公交车的载客时间一般为5：00~23.00，23.00后有夜班车，但

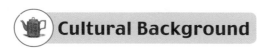

Cultural Background

Public Transport Of Beijing

Beijing has an extensive system of buses, electric cablecars and taxis, with the various routes traveling to all destinations. The Beijing Public Transport Corporation operates a total of over 700 routes. The No.1 ~ 122 routes are city routes and tickets cost 1 Yuan; the No.300 ~ 949 routes are suburban routes and cost 1 Yuan for distances within 12 kilometres, it is an extra 0.5 Yuan for every extra 5 kilometres; routes that start with "8" are air-conditioned buses and cost 2 Yuan; while fares for double decker buses with routes starting with the Chinese character for "special" cost 2 Yuan; similarly there are travel buses marked with the Chinese character for "travel" and fares vary depending on the destination; normal bus routes start with "6,7,8,9"; routes starting with "9" are the longest, even as long as 106 kilometers. Bus operation times are usually from 5am to

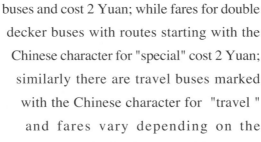

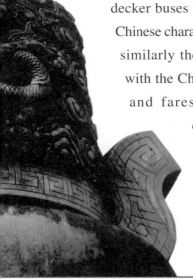

很少。

北京的部分公共汽车分快慢两种，初来北京的外国人要注意分清楚，看一看在你要去的地方是否停车，然后再上车。另外，有一部分车单行，一部分车绕行。有一部分车没有售票员，上车后投硬币。为了分得清楚，建议买张交通图，仔细阅读一下。

在中国，所有的公共汽车都靠右侧行使。因此，当您乘车时，要事先看清楚方向，避免坐相反方向的车。

北京的地铁较为舒适，分直线和环线，标志为字母BD组成的蓝色圆形图案。地铁的第一条线从西单到西郊石景山区的苹果园；第二条线为环城线，由建国门起；第三条线为西单至

11pm, after which some late night buses run but there are very few.

Foreigners new to Beijing should note that the city's buses come in express or normal modes, be sure to check that your destination will be stopped at, before getting on the bus.

Also, some buses may only travel one way, while others may travel around certain areas, some buses do not have conductors and only coin-operated fare machines. There are also buses without conductors so get your change ready for the vending machine. It's a good idea to buy a transport map and read it closely for all the details.

Vehicles travel on the right-hand side of the road in China.

So to avoid taking the wrong bus, please check the direction the bus is going in.

Beijing's subway system is a convenient and comfortable way of getting around. Spot them by looking out for the blue logo with the letters BD. There is a loop line and a straight line in the subway system, there are transfer stations at Fuxingmen and Jian'guomen. The No.1

建国门站。地铁实行单一票制，票价3元。地铁收车时间为晚11：40，早晨出车时间为5：00。

北京的客运三轮车是近年来随着旅游事业的发展而复苏的产物，一般采用个体经营、集中管理的方式。火车站、市中心的交通要道和旅游景点等处，均设有出租站或停车点。流动的车辆可以在街上随意租用，一般来说价格较高一些，但观览街景较为方便。凡正规注册的客运三轮车，车把上有运营证，驾车人有服务胸卡。

subway line travels from Xidan to Pingguoyuan of Shijingshan District in the city's west; the No.2 line is the loop line and starts at Jian'guomen; the No.3 line is from Xidan to Jian'guomean. Tickets are 3 Yuan each no matter where you're traveling to. The subway starts at 5:00 am and ends at 11:40 pm.

Pedicabs have gained popularity in Beijing along with the surge in tourism, they are run by private operators but collectively managed. They can be found and hailed at train stations or other transport hubs and tourist attractions around the city. If you see them on the street they are also available for hire. Their slightly higher cost is compensated for by the convenience in seeing the sights at a slower pace. Registered pedicabs should have licenses on the handle and the operator should be wearing a service badge.

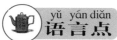

语言点

1 "**又……又……**"表示两种情况或性质同时存在。

　　例如：那儿的东西又便宜又好。

　　　　　你们教室又干净又明亮。

2 "**不如……**"表示比较。

　　例如：这个房间不如那个房间大。

　　　　　你不如打的去车站。

3 "**沿着……**"表示方向。

　　例如：沿着这条路走，你就能看到那座大楼。

　　　　　沿着这条路往前走，第二个路口向左转

　　　　　就是商店。

4 "**先……，然后……**"表示前后顺序。

　　例如：先上课，然后再去运动。

　　　　　先乘公共汽车，然后

　　　　　坐地铁就到了。

5 "**按……做**"表示遵

　　照某人的说法做事。

　　例如：这道题按老师

　　　　　所说的去做，

　　　　　就做对了。

Language Points

① " 又⋯⋯又⋯⋯ " — "...as well as ...." is used to mean the co-existence of two situations or properties.
For example:
The things there are cheap as well as good.
Your classroom is clean as well as bright.

② " 不如⋯⋯ " — "may as well..."denotes a comparison.
For example:
This room is not as big as that room.
You'd be better off taking a taxi to the station.

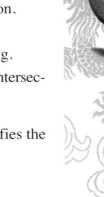

③ " 沿着⋯⋯ " — "along..." indicates direction.
For example:
Follow this road and you'll see that building.
Follow this road and turn left at the second intersection to get to the shop.

④ " 先⋯⋯，然后⋯⋯ "—"first...then" specifies the sequence of events.
For example:
Attend class first,then go play sports.
Take the bus first,then the subway and you'll get there.

⑤ " 按⋯⋯做 " — "Do...according to" signifies doing something according to someone's instructions or advice.

按大牛的方法做很容易。

6 能愿动词"想、要"经常放在动词前边表示意愿、能力或可能。

能愿动词的否定式是在能愿动词前加"不"。

例如：我想去动物园。我不想去长城。

我要去看电影。我不想听音乐。

注释

① "请问……"是向别人提问时的客套话。一定要用在提出问题之前。

例如：请问，去天安门怎么走？

② "不客气。"表示帮助某人做了事情之后受到感谢时的谦虚回答语。

③ "好主意！"表示赞同某人的说法。

For example:

Solve this equation according to what the teacher says, and you'll get it right.

It's easy to do according to Da Niu's method.

6 Auxiliary inclination verbs "想、要"—"wish, want" are most often placed in front of verbs to express intention or wish, ability or possibility. To negate such a verb is simply adding a "不" in front of it.

For example:

I want to go to the zoo.

I don't want to go to the Great Wall.

I want to go see a movie.

I don't want to listen to music.

Explanatory Notes

1 "请问……" — "Excuse me...." is a polite expression used when making an enquiry. It must be said before the question.

For example:

Excuse me, how do I get to Tian'anmen?

2 "不客气。"— "Don't mention it" or "That's alright" A courteous and humble reply to someone's gratitude for giving help.

3 "好主意！ "—"Good idea!" indicates approval of someone's comments.

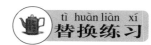

tì huàn liàn xí
替换练习

yán zhe zhè ge fāng xiàng zǒu
沿着这个方向走。

yán zhe zhè tiáo lù
沿着这条路……

yán zhe tā zhǐ de fāng xiàng wàng qù
沿着她指的方向望去……

tā zhǎng de yòu měi lì yòu dà fang
她长得又美丽又大方。

tā zì xiě de yòu gōng zhěng yòu piào liang
她字写得又工整又漂亮。

zhè ge fáng jiān yòu gān jìng yòu míng liàng
这个房间又干净又明亮。

àn lǎo shī shuō de zuò
按老师说的做。

àn nǐ bà ba shuō de zuò
按你爸爸说的做。

àn yī shēng shuō de àn shí chī yào bìng jiù huì hǎo de
按医生说的按时吃药，病就会好的。

xiān dú shū rán hòu zài chāo kè wén
先读书，然后再抄课文。

xiān qù shāng diàn rán hòu qù yóu jú
先去商店，然后去邮局。

xiān chéng zuò shíliù lù rán hòu gǎi chéng sān qī wǔ lù jiù dào le
先乘坐16路，然后改乘375路就到了。

Substitutional Drills

Go along this direction.

Follow this road ...

Look along the direction she points...

She is both beautiful and graceful.

Her writing is both neat and pretty.

This room is clean as well as bright.

Do as the teacher says.

Do as your dad says.

You'll get well if you take medicines

on time like the doctor says.

First read the book then copy the text.

First go to the shop then to the post office.

First take the No.16, then change to the No.

375 and you'll get there.

第十六课 谈天气
dì shí liù kè　tán tiān qì

huì huà
会话

come and cheer us on!

A

zài xiào yuán lǐ
（在校园里。）

xiǎo jiāng
小江：Tina，明天我们有篮球比赛，来
míng tiān wǒ men yǒu lán qiú bǐ sài lái
给我们加油吧！怎么样？
gěi wǒ men jiā yóu ba　zěn me yàng

Tina：明天，篮球比赛？
míng tiān　lán qiú bǐ sài

xiǎo jiāng
小江：对，明天下午 1：30。
duì　míng tiān xià wǔ yī diǎn sān shí

Tina：小江，你听没听天气预报？
xiǎojiāng　nǐ tīng méi tīng tiān qì yù bào

LESSON SIXTEEN
Talking about the Weather

 Dialogue

the weather forecast or not?

A

(In the school ground.)

Xiao Jiang: Tina, tomorrow we are going to have a basketball competition, come and cheer us on! How about it?

Tina: Tomorrow, basketball competition?

Xiao Jiang: Yes, tomorrow afternoon at 1:30.

Tina: Xiao Jiang, have you heard the weather forecast or not?

小江： xiǎo jiāng
还没有啊！明天的天气怎么样？
hái méi yǒu a　míng tiān de tiān qì　zěn me yàng

Tina：（学天气预报员 口吻）明天白天，
xué tiān qì yù bào yuán kǒu wěn　míng tiān bái tiān
晴转阴，下午有雷阵雨。风力二、
qíng zhuǎn yīn　xià wǔ yǒu léi zhèn yǔ　fēng lì èr
三级转四级，最高气温19摄氏度。
sān jí zhuǎn sì jí　zuì gāo qì wēn shíjiǔ shè shì dù

小江： xiǎo jiāng
糟了，明天下午有雷阵雨，没
zāo le　míng tiān xià wǔ yǒu léi zhèn yǔ　méi
法(儿)比赛了。
fǎr　bǐ sài le

Tina：没关系，小江。我们可以打乒
méi guān xi　xiǎo jiāng　wǒ men kě yǐ dǎ pīng
乓球。
pāng qiú

小江： xiǎo jiāng
乒乓球？太小了。没意思！
pīng pāng qiú　tài xiǎo le　méi yì si

we can't have the competition.

Xiao Jiang: I still haven't! What's tomorrow's weather like?

Tina: *(Imitates weather forecaster)* Tomorrow during the day, the weather will be sunny turning cloudy, with thunder showers  in the afternoon. The wind force will be light, gentle to moderate breeze, reaching a maximum temperature of 19 degrees Celsius.

Xiao Jiang: Oh no, there'll be thunder showers tomorrow afternoon, we can't have the competition.

Tina: That's alright, Xiao Jiang. We can play table tennis.

Xiao Jiang: Table tennis? The ball's too small, boring!

B

（zài jiā lǐ, yì jiā
在 家 里， 一 家
sān kǒu zuò zài shā fā
三 口 坐 在 沙 发
shàng kàn diàn shì
上 看 电 视。）

lǐ hóng
李 红： lán lan, nǐ men shì bú shì kuài fàng jià le
兰 兰， 你 们 是 不 是 快 放 假 了？

lán lan
兰 兰： qī mò kǎo shì yì wán, wǒ men jiù fàng shǔ jià
期 末 考 试 一 完， 我 们 就 放 暑 假
le, wǒ kě yǐ tòng tòng kuài kuài wánr le
了， 我 可 以 痛 痛 快 快 玩(儿)了。

lǐ hóng
李 红： wǒ men yě gāi fàng jià le, wǒ kě yǐ péi nǐ jǐ
我 们 也 该 放 假 了， 我 可 以 陪 你 几
tiān. jīn nián shǔ jià nǐ xiǎng shàng nǎr wánr
天。 今 年 暑 假 你 想 上 哪(儿)玩(儿)?

liú míng
刘 明： rén men dōu shuō: "shàng yǒu tiān táng, xià yǒu
人 们 都 说： "上 有 天 堂， 下 有
sū háng", wǒ kàn nǐ men jiù qù sū háng ba
苏 杭"， 我 看 你 们 就 去 苏 杭 吧！

lǐ hóng
李 红： bú guò, qī yuè fèn qù sū háng……
不 过， 7 月 份 去 苏 杭……

lán lan
兰 兰： zěn me le, mā ma? wǒ zǎo jiù xiǎng qù kàn
怎 么 了， 妈 妈？ 我 早 就 想 去 看
kan háng zhōu xī hú le
看 杭 州 西 湖 了。

B

(At home, the family of three is sitting on the sofa watching television.)

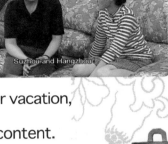

Suzhou and Hangzhou!

Li Hong: Lan Lan, is your summer vacation going to start soon?

Lan Lan: As soon as the semester exams are over, we start summer vacation, I can have fun to my heart's content.

Li Hong: We're about to have holidays too. I can keep you company for a few days. Where do you want to go for the summer break this year?

liu Ming: People all say: "In heaven there's paradise, while on earth there's Suzhou and Hangzhou", I think you should go to Suzhou and Hangzhou!

Li Hong: But, going to Suzhou and Hangzhou in July...

Lan Lan: What, mom? I've always wanted to see Xihu in Hangzhou.

李红：西湖？恐怕比"茶壶"还热！7月的杭州又潮湿又闷热，你到了那（儿）就知道了。

兰兰：那为什么说"上有天堂，下有苏杭"呢？

刘明：那是指苏州和杭州的景色像天堂一样美和迷人，可不是指天气。

兰兰：那什么时候去最好？

刘明：秋季。大约九、十月份吧。那时桂花全都开了，满城的桂花香。

Suzhou and Hangzhou are as beautiful

Li Hong: Xihu?Probably hotter than a teapot! Hangzhou in July is humid and sultry,  you'll know when you get there.

Lan Lan: Then why do they say "In heaven there's paradise, while on earth there's Suzhou and Hangzhou"?

liu Ming: It means that the scenery of Suzhou and Hangzhou are as beautiful and enchanting as paradise, not its weather.

Lan Lan: Then when is the best time to go?

liu Ming: Autumn. Around September or October. By then all the osmanthus flowers would be in bloom, the whole city would be full of its fragrance.

lán lan　　　kě nà shí wǒ yǐ jing kāi xué le
兰兰：可那时我已经开学了！

lǐ hóng　　　nà wǒ men qù dà lián zěn me yàng　　zhè ge jì jié
李红：那我们去大连怎么样？这个季节

　　　　　fēng hé rì lì　　　hái kě yǐ yóu
　　　　　风和日丽，还可以游

　　　　　yǒng　　shū fu jí le
　　　　　泳，舒服极了。

lán lan　　　nà hǎo ba
兰兰：那好吧！

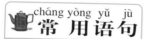

cháng yòng yǔ jù
常用语句

shàng yǒu　　　　　xià yǒu
"上有……下有……"

shàng yǒu tiān táng　xià yǒu sū háng
上有天堂，下有苏杭。

kǒng pà
恐怕……

kǒng pà bǐ chá hú hái yào rè
"恐怕比茶壶还要热！"

xiàng　　　　　yí yàng
像……一样……

xiàng tiān táng yí yàng mí rén
"像天堂一样迷人。"

Lan Lan: But by then school would have started for me!

Li Hong: Then how about we go to Dalian? In this season the weather's mild and sunny, we can also swim, it'll be so comfortable.

Lan Lan: Ok then!

Common Expressions

"In heaven there's...on earth there's..."

In heaven there's paradise, while on earth

there's Suzhou and Hangzhou.

Probably...

"Probably hotter than a teapot!"

as...as...

"as enchanting as paradise. "

shēng cí
生词

lán qiú 篮球	tiān táng 天堂
bǐ sài 比赛	jǐng sè 景色
jiā yóu 加油	měi 美
zhuǎn 转	guì huā 桂花
zuì gāo 最高	qiū jì 秋季
pīng pāng qiú 乒乓球	fēng hé rì lì 风和日丽
méi guān xi 没关系	xiāng 香
fàng jià 放假	yóu yǒng 游泳
tòng tòng kuài kuài 痛痛快快	zāo le 糟了

zhuān yǒu míng cí
专有名词

sū zhōu háng zhōu dà lián xī hú
苏州、 杭州、 大连、 西湖

 **Vocabulary**

basketball	paradise
competition	scenery
cheer (on)	beautiful
turning	osmanthus flower
highest, maximum	autumn
table tennis	mild and sunny
That's alright.	fragrant
holiday	swim
to one's heart's content	Oh no!

Proper Noun

Suzhou, Hangzhou, Dalian, (Xihu) West Lake

tiān qì	yù bào	qíng tiān	yīn tiān	léi zhèn yǔ
天气、	预报、	晴天、	阴天、	雷阵雨、
fēng lì	qì wēn	guā fēng	cháo shī	mèn rè
风力、	气温、	刮风、	潮湿、	闷热、
jì jié				
季节				

wén huà bèi jǐng zhī shi
文化背景知识

北京的四季与着装

气候：

北京的气候类型是典型的温带季风气候。其特征为：夏季高温多雨，冬季寒冷干燥。

北京地区属温带大陆性季风气候区，四季

分明，春季短暂干旱风沙大，夏季炎热多雨潮湿，秋季是最好的季节，秋高气爽，湿润宜人，北京的秋天常被称作"金色的秋天"，冬季寒冷干燥少雪。

一般来说，北京人在

Weather terminology

weather, forecast, sunny (day), cloudy (day), thunder shower, wind force, temperature, wind blow, humid, sultry , season

 Cultural Background

Beijing's Four Seasons and What to Wear

Weather:

Beijing's climate is typical continental monsoon climate characterized by hot and rainy summers, cold and dry winters.

Beijing is in the continental monsoon region in the temperate zone, it has distinct four seasons, spring is brief and windy, summer is hot and humid, autumn enjoys clear skies and fresh air, while winter tends to be cold and dry, with occasional snows. It's no wonder Beijing's autumn is often termed "Golden Autmn".

Normally in winter, Beijingers choose to

冬季度假会选择去海南旅游或去黑龙江滑雪、看冰灯；夏季来临时，去大连、青岛、昆明等地旅游或避暑。

在中国，计量气温的方法用℃，而不用 F。换算方法为：100F=38℃。

北京夏天最高气温可达到 38℃～39℃，冬天最低气温可达到 - 14℃～- 16℃，年平均气温为 11.7℃。北京年平均降水量为 640 毫米，是华北平原降水最多的地方之一。主要降水集中在七、八月份，且多雷阵雨，有时有大暴雨，全年无霜期为 180～200 天。

着装：

北京的冬天可以穿一件毛衣和一条毛裤，外着风衣或羽绒服，可穿高帮旅游鞋或皮鞋。通常冬天会下 2～3 场大雪，一两天之后就会化净。由于冬天空气干燥，风沙大，尘土多，平时最好

holiday in sunny Hainan in the south or go skiing and enjoy the ice-lanterns in northeast China's Heilongjiang; when summer hits, they often head to Dalian, Qingdao or Kunming as well as other places to see the sights or just escape the heat.

Temperature is measured in Celsius, not Farenheit in China. Conversion can be made by:100F=38℃.

Beijing's summer gets as hot as 38℃ ～39℃ ,while the coldest in winter can be -14℃ ～-16℃ , the yearly average temperature is 11.7 degrees. Beijing's average annual rainfall is 640 millimeters, which is one of the highest in Northern China's flat areas. Rainfall is concentrated in the July and August months, mostly in the form of thunder showers and rainstorms. About 180～200 days in the year are frost-free.

Clothing:

Beijing's cold winters require a woolen sweater and thermal underwear, with trench coat or down jacket on the outside, footwear should be leather shoes or high-top sports shoes. Usually it snow 2～3 times in winter, but the snow melts after one or two days. As the winters are dry, dusty and

不要穿白色或不耐脏的衣服。

北京的春季短且多风沙，温度适中并不冷，穿一件薄毛衣和一条绒裤即可。但切记天气刚转暖时就开始减衣服。中国有句老话叫"春捂秋冻"，意思是春天多穿点儿，预防感冒着凉生病；秋天穿少了没关系，加强锻炼对身体有好处。

北京的夏天炎热多雨，白天气温常常高达30℃以上，只需穿一件短袖上衣和单裤或短裤。夜间有时会突然打雷下暴雨，出门时最好带上雨伞，天晴时可遮挡强烈的阳光以防晒伤皮肤，下雨时可遮雨以防淋湿衣服，一举两得。

北京的秋天是最美丽的季节，秋高气爽，风和日丽，是旅游的最好季节。但过了十月份以后，气温会变得冷热无常，有时会下毛毛雨，雨过天晴之后会感到一丝凉意。中国有句谚语："一场秋雨一场寒，几场秋雨就穿棉。"人们感到冬季即将来临，得赶快穿棉衣了。

windy, it is best not to wear white or other light-coloured clothes because they'll dirty too easily.

Spring in Beijing is short and mild, but with strong winds that can blow gusts of sand and dirt. A light sweater and jacket would suffice. But it is recommended that you do not switch to warm weather clothes right away. The old Chinese saying goes "warm in spring and cool in autumn", which means it is better to wear clothing on the thick side in spring to prevent colds; while autumnal dressing should be on the light side, because adapting to the cold would be good for the health and get ready for the colder months.

Beijing's summers are sultry and rainy, daytime temperature tends to be in the 30s, so suitable attire should be a short sleeve top, pants or shorts. The thunderstorms that come frequently at night mean it is advisable to take an umbrella when going out. The umbrella doubles as shelter from UV rays when it is too hot and sunny during the day.

Few would disagree that autumn showcases Beijing at its best, with light winds, clear skies and pleasant sunny weather, it is no wonder that fall is peak season for travel. But after October, the weather starts becoming unpredictable, drizzles or light showers are frequent, after which the coolness sets in. A Chinese idiom goes that "it rains once in autumn and brings chill, it rains a few times in autumn and you need cotton padded jackets." The coming of winter signifies the time for thick jackets.

yǔ yán diǎn
语言点

❶ "**怎么样？**" —— 用"**怎么样**"提问的句子，常把"**怎么样**"放在句尾。句子里不再需要动词。回答时一般用形容词。

例如：今天天气怎么样？ ——不错！或很好！

　　　北京的春天怎么样？ ——特别冷！

❷ "**还没有啊！**"表示一个动作现在还没有发生或尚未完成。

例如：她还没有到呢！

　　　我还没有听呢！

❸ "**可以**"是能愿动词的一种。表示客观或情理上的许可。

例如："妈妈，我可以出去玩儿吗？ ——可以。"

　　　"我可以出去吗？ ——不行，要上课了。"

❹ "**像……一样……**"表示比较。

例如：这儿的风景像天堂一样美。

Language Points

1 " 怎么样?" — "How about it?", questions using "How about it " usually place it at the end of the sentence. The sentence doesn't need any verbs. Reply is usually with adjectives.

For example:

How is today's weather?—Not bad! or Very good!

How is spring in Beijing?— Especially cold!

2 "还没有"—"Still haven't!" means that up to now, an action still hasn't occurred or has not been completed yet.

For example:

She still hasn't arrived!

I still haven't heard!

3 " 可以 " is an auxiliary inclination verb to express wish or intention. It denotes approval in principle or in fact.

For example:

"Mom, can I go out and play? — Yes. "

"Can I go out? — No, it's time for class. "

4 "像……一样……"—"Like..." forms a comparison.

For example:

The scenery here is as beautiful as in paradise.

zhù shì
注释

1. "加油"意思是拉拉队给运动员助威时的口号，有时也表示进一步努力。

2. "没法儿"在这里表示没有办法或不能够。

3. "舒服极了"在这里的意思是非常舒服。

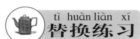

tì huàn liàn xí
替换练习

yòu……yòu……
又……又……

yòu gāo yòu dà
又高又大

yòu hēi yòu xiǎo
又黑又小

yòu wēn róu yòu piào liang
又温柔又漂亮

Explanatory Notes

1 " 加油 "or "Go" is used as a cheer-leading slogan, sometimes it also means to make further efforts.

2 " 没法儿 "here means "there is no way" or "can not".

3 "舒服极了"means "very comfortable" here.

 Substitutional Drills

both...and...

both tall and large

both black and small

both gentle and pretty

xiàng……yí yàng……
像……一样……

xiàng mì yí yàng tián
像 蜜 一样 甜

xiàng huā yí yàng měi
像 花 一样 美

xiàng huǒ yí yàng hóng
像 火 一样 红

xiàng huáng lián yí yàng kǔ
像 黄 连一样 苦

xiàng zhǐ yí yàng bái
像 纸 一样 白

shàng yǒu……xià yǒu……
上 有……下 有……

shàng yǒu lǎo xià yǒu xiǎo
上 有 老 下 有 小

shàng yǒu tiān xià yǒu dì
上 有 天 下 有 地

kǒng pà bǐ……hái yào……
恐 怕比……还要……

jīn tiān de tiān qì kǒng pà bǐ zuó tiān hái yào zāo gāo
今天的天气 恐怕比昨天还要糟糕。

zhè cì kào shì kǒng pà bǐ shàng cì kǎo shì hái yào nán
这次考试 恐怕比上次考试还要难。

zhè chǎng bǐ sài kǒng pà bǐ qián liǎng chǎng bǐ sài hái yào jī liè
这场比赛恐怕比前两场比赛还要激烈。

Like...,as...as...

As sweet as honey

As beautiful as a flower

As red as fire

As bitter as goldthread

As white as paper

Above there's... below there's...

Above there's the older generation, below

there's the younger generation

Above there's heaven, below there's earth

Probably more...than...

Today's weather is probably worse than yesterday.

This exam is probably more difficult than the last one.

This competition is probably more hotly contested than

the previous two.

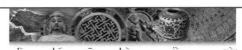

第十七课 寄信
dì shí qī kè jì xìn

I'm writing a greeting card to friends.

A

zài jiā lǐ
（在家里。）

liú míng　　zhèng zài xiě xìn
刘明：（正 在写信。）

lǐ hóng　　liú míng　　gāi chī fàn le　　xiě shén me ne
李红：刘明，该吃饭了，写什么呢？

liú míng　　ai　　wǒ zài gěi péng you xiě hè kǎ
刘明：哎，我在给朋友写贺卡。

lǐ hóng　　shì a　　kuài guò nián le　　wǒ yě shōu dào le bù
李红：是啊，快过年了，我也收到了不

LESSON SEVENTEEN
Sending Letters

 Dialogue

You're pretty nostalgic.

A

(*At home.*)

Liu Ming: (*writing a letter.*)

Li Hong: Liu Ming, it's time to eat, what are

you writing?

Liu Ming: Oh, I'm writing greeting card to friends.

Li Hong: Yes, it's nearly New Year's, I've also received

shǎo diàn zǐ hè kǎ
少 电子贺卡。

liú míng　wǒ bù xǐ huan diàn zǐ hè kǎ　　yì miǎo zhōng　duì
刘明：我不喜欢 电子贺卡。一秒 钟，对

fāng jiù shōu dào le
方 就收到了。

lǐ hóng　hái tǐng huái jiù de　　ai　　liú míng　　　gěi guó wài
李红：还挺怀旧的。哎，刘明……给国外

péng you xiě xìn　　nǐ de dì zhǐ kě xiě cuò wèi zhi le
朋友写信，你的地址可写错位置了。

lán lan　　mā ma　　　bà ba
兰兰：妈妈，爸爸。

lǐ hóng　lán lan　　fàng xué la
李红：兰兰，放学啦？

liú míng　lán lan　　nǐ kàn bà ba de dì zhǐ xiě cuò le ma
刘明：兰兰，你看爸爸的地址写错了吗？

lán lan　　kàn xìn fēng　bà ba　　zhè suàn shén me cuò
兰兰：（看信封）爸爸，这算什么错，

wǒ men bān yǒu yì
我们班有一

nán shēng　tè hú
男生，特糊

tu　　yǒu yì tiān
涂。有一天，

tā fā le fēng xìn
他发了封信，

sān tiān hòu　zhè fēng
三天后，这封

many electronic greeting cards.

Liu Ming: I don't like electronic greeting cards. One second, the other person's got it.

He wrote the receiver's name as his own.

Li Hong: You're pretty nostalgic. Hey, Liu Ming... if you're writing to an overseas friend, you've written the address in the wrong place.

Lan Lan: Mom, dad.

Li Hong: Lan Lan, finished school?

Liu Ming: Lan Lan, can you see if dad's written the address wrongly?

Lan Lan: *(looks at envelope)* Dad, this is no big mistake, there's a boy in our class who is really scatterbrained.

xìn yòu huí dào le tā shǒu li   nín men cāi   wèi
信又回到了他手里。您们猜，为

shén me
什么？

lǐ hóng   dì zhǐ xiě cuò le bei
李红：地址写错了呗。

lán lan   bú duì
兰兰：不对。

liú míng   bǎ shōu xìn rén de míng zi xiě chéng tā de le
刘明：把收信人的名字写成他的了？

lán lan   bú duì
兰兰：不对。

lǐ hóng   méi tiē yóu piào
李红：没贴邮票？

lán lan   xiào   tiē le   dàn bú shì yóu piào   tā tiē le
兰兰：（笑）贴了，但不是邮票。他贴了

zì jǐ de zhào piānr
自己的照片(儿)。

One day, he sent a letter, three days later, the letter came back to him. Have a guess, why?

Li Hong: He's written the wrong address.

Lan Lan: No.

Liu Ming: He wrote the receiver's name as his own?

Lan Lan: No.

Li Hong: Didn't stick on a stamp?

Lan Lan: *(laughs)* He did, but not a stamp. He stuck on his own photo.

Auntie, I want to post a letter.

B

zài yóu jú
（在邮局）

lán lan　　ā yí　　wǒ yào jì xìn
兰兰：阿姨，我要寄信。

　jiǎ　　xiǎo péng you　　nǐ yào wǎng nǎr　　jì
甲：小朋友，你要往哪(儿)寄？

lán lan　　wǒ xiǎng bǎ zhè zhāng míng xìn piàn jì wǎng jiā ná dà
兰兰：我想把这张明信片寄往加拿大。

liú míng　　zhè fēng xìn jì wǎng měi guó　　qǐng wèn　　yí gòng xū
刘明：这封信寄往美国。请问，一共需

　　　　yào tiē duō shǎo qián de yóu piào
　　　　要贴多少钱的邮票？

　jiǎ　　jì píng xìn hái shì guà hào xìn
甲：寄平信还是挂号信？

liú míng　　jì píng xìn　　qǐng bāng wǒ chēng yí xià xìn de
刘明：寄平信。请帮我称一下信的

　　　　zhòng liàng
　　　　重量。

B

(Post office)

Lan Lan: Auntie, I want to post a letter.

A : Little friend, where are you sending it to?

Lan Lan: I'd like to send this postcard to Canada.

Liu Ming: This letter is going to the US. Could you tell me, how many stamps do we need altogether?

A : Are you sending it by surface mail or registered mail?

Liu Ming: Surface mail. Please help me weigh the letter.

Little friend, where are you sending it to?

甲：(把信放在秤上) 这封信超重
了，要贴8元钱邮票。

刘明：(交钱)

甲：找您2块，
请收好，欢
迎再来。

Please help me weigh the letter.

 C

小江：劳驾，我买两张新年首日封，
一套生肖纪念邮票。

甲：五块二。

小江：我还有个包裹要寄往广州。

甲：请问包裹里是什么东西？

小江：是给朋友寄的酒。

甲：对不起，这种
东西不能寄。

A : *(Places letter on scales)* This letter is overweight, you need to stick on 8 Yuan in stamps.

Liu Ming: (pays)

A : This is 2 yuan, please take it. Hope to see you again.

C

Xiao Jiang: Excuse me, I'd like to buy two New Year first day covers and a set of Chinese zodiac souvenir stamps.

A : 5.2 Yuan.

Xiao Jiang: I also have a parcel to send to Guangzhou.

A : Could I ask

what's in the parcel?

Xiao Jiang: It is a bottle of wine for my friend.

A : Sorry, this can't be posted.

常用语句

kuài 快……	tǐng 挺
kuài guò nián le 快 过 年 了	tǐng huái jiù 挺 怀 旧

生词

hè nián kǎ 贺 年 卡	fàng xué 放 学
hè kǎ 贺 卡	yì miǎo zhōng 一 秒 钟
diàn zǐ hè kǎ 电 子 贺 卡	guò nián 过 年
dì zhǐ 地址	duì fāng 对 方
bù shǎo 不 少	shōu 收
cuò 错	tǐng 挺
nán shēng 男 生	huái jiù 怀 旧
cāi 猜	guó wài 国 外

Common Expressions

it's nearly...	pretty
it's nearly New Year's	pretty nostalgic

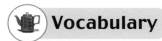 **Vocabulary**

new year's greeting card	out of school
greeting card	one second
electronic greeting card (e-card)	spend New Year's holidays
address	the other party
more than a few	receive
wrong	quite
boy student	nostalgic
guess	overseas

péng you
朋 友

bān jí
班级

tè
特

hú tu
糊涂

fā xìn
发信

huí dào
回到

tiē
贴

zì jǐ
自己

zhào piānr
照 片(儿)

jiā ná dà
加拿大

měi guó
美国

zhòng liàng
重 量

chāo zhòng
超 重

píng xìn
平信

jì xìn
寄信

xiě xìn
写信

yóu jú
邮局

guà hào xìn
挂号信

yóu piào
邮票

tiē yóu piào
贴邮票

shǒu rì fēng
首日封

jì niàn yóu piào
纪念邮票

yí tào
一套

shōu xìn rén
收信人

jì xìn rén
寄信人

míng xìn piàn
明信片

bāo guǒ
包裹

shèng xià de
剩 下的

COMMUNICATE IN CHINESE 2

friend

class

really

scatterbrained, muddled

send letters

returned

stick

self

photo

Canada

the United States of America

weight

over-weight

surface mail

send a letter

write a letter

post office

registered post

postage stamp

stick on a postage stamp

first day cover

souvenir stamp

a set

addressee

sender

postcard

parcel

remaining

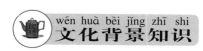

wén huà bèi jǐng zhī shi
文化背景知识

在中国如何寄信

在中国的各大中小城市、县城和乡镇，都可以找到邮局。在一些旅游城市和大都市里还有国际邮局。如北京长安街建国门外就有一个国际邮局，在那里你可以办理各项邮寄、快递业务。在一些邮局，除办理邮寄业务外，你还可以购买纪念邮票、手机、电话机、电话卡、杂志、报纸、文具用品、音像制品，以及打长途电话和发电报等等。

从中国向国外发信，要特别注意信封的书写格式。其书写的格式如下：

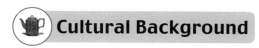

Cultural Background

How to Post Letters in China?

Post offices can be found in all of China's major cities, counties and towns. In some tourism cities and large metropolises there are international post offices. For example: at Jian'guomenwai on Beijing's Chang'an Av-

enue there is an international post office, there you could send things by post or courier. In some post offices, aside from offering postal services, you can buy souvenir stamps, mobile phone, telephones, phone cards, magazines, newspapers, stationery, audio-visual products, as well as make long distance phone calls, send telegraphs and so on.

If you're sending letters from China to oveseas, pay special attention to the layout of the writing on the envelope, the format should be as follows:

1. 国内的寄信信封书写方式：

100859

北京市复兴路 11 号中央电视台

王立平　　先生　收

北京市海淀区中关村南大街 16 号

科学普及出版社

100081

2. 向国外寄信信封的书写方式：

Mr. Li Feng

English Channel, CCTV

11 Fuxinglu, 100859

Beijing, P.R. CHINA

Dr. Michael Smith

106 Apt. Fifth Avenue,

Downtown 18378 NA, U.S.A

随着互联网技术的发展，中国邮政推出了电脑寄信业务，它摆脱了传统信函和邮局窗口服务的方式。有了电脑寄信业务，互联网用户利用桌面邮局软件，足不出户就可以在家或办公室中使用专用的电脑寄信软件将所要寄的信寄出。邮局信函服务器负责接收用户发出的信函，

1. Format for sending letters within China:

100859

Beijing Fuxing Lu No. 11, China Central Television

To: Mr. Wang Liping

Beijing Haidian District

Zhongguancun Nandajie No. 16,

Popula Science Press

100081

2. Format for sending letters overseas:

Mr. Li Feng

Foreign Language Dept.

Renmin University, 100081

Beijing, P.R. CHINA

Dr. Jean Taylor

106 Apt. Fifth Avenue,

Downtown 18378 NA, U.S.A

Developments in internet technology have meant that China Post could offer postal services online. Internet users can use desktop

同时自动完成信函的计费、分拣和转发等工作并由专用信函封装设备在目的邮局（收信人所在地）完成信函的打印封装（全密闭、全自动），然后进入邮政投递网投递到收信人手中。电脑寄信的自费标准是单页信纸，每封收费 2 元，多页信纸的资费最多不超过 3.5 元。

语言点
yǔ yán diǎn

❶ "**快……了**" 表示动作即将开始，而不是单纯的快的意思。

❷ "**挺**" 表示程度，可在 "挺" 后面加动词或形容词。

　　例如：挺好的（形容词）。

　　　　　挺帅的（形容词）。

　　　　　挺想家的（动词）。

　　　　　挺后悔的（动词）。

❸ "**该……**" 表示时间到了。

　　例如：该睡觉了——到了应该睡觉的时候了。

　　　　　该走了——到了应该离开的时间了。

postal software to send letters without stepping out of their homes, while the post office server could sort and deliver the automatically sealed letters to the destination post office for

distribution to the destined recipient. The first page of standard letter paper costs 2 Yuan for the computerized letter-sending service and it doesn't cost more than 3.5 Yuan for multiple page letters.

Language Points

1 "快⋯⋯了"—"Soon..." indicates the action is about to begin, not that the action will be fast.

2 " 挺 " — "Quite" shows extent, verbs or adjectives can be added to the word.

For example:

Quite good(adjective).

Pretty handsome(adjective).

Miss home quite a lot(verb).

Rather regretful(verb).

3 " 该⋯⋯" — "should..." denotes it is time.

For example:

I should sleep — it is time to sleep.

I should go — it is time to leave.

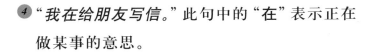

④ "我在给朋友写信。"此句中的"在"表示正在做某事的意思。

⑤ "请收好" ——"好"用在动词后，表示动作完成。

例如："请扶好。"

"饭做好了。"

"请坐好，马上要开车了。"

⑥ "多少钱？" ——"多少"用在名词前，询问数量。

例如：多少人？ 多少苹果？ 多少本书？

zhù shì
注释

① "五块二" ——汉语的钱数有两种表达法。"块、毛、分"是口语形式，"元、角、分"是书面形式。最后一位的"毛"或"分"可以省略不说。如："六元七角六分"，可以说成"六元七"，口语为"六块七"。

④ "我在给朋友写信."——"I'm writing a letter to a friend": the "在" in this sentence means being in the middle of doing something.

⑤ "请收好"——"Please take it." "好" is used after the verbs to show the action has been completed.

For example:

"Please hold on. "

"The meal is ready. "

"Please sit down, the bus will leave now. "

⑥ "How much is this?"— "多少" is placed in front of the noun, to inquire about quantity.

For example:

How many people? How many apples? How many books?

 Explanatory Notes

① "五块二"—— there are two ways of talking about money in Chinese. "Kuai, Mao, Fen" in spoken language, "Yuan, Jiao, Fen" in written language. The word for "Mao" and "Fen" can be dropped. For example: "Six Yuan seven Jiao six Fen", can be said as "Six Yuan seven", or orally as "Six Kuai seven".

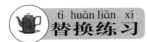

tì huàn liàn xí
替换练习

qǐng bāng wǒ chēng yí xià
请 帮 我 称 一下。

qǐng bāng wǒ ná yí xià
请 帮 我 拿一下。

qǐng bāng wǒ xiū yí xià
请 帮 我 修一下。

wǒ zài gěi péng you xiě xìn
我在给朋 友 写信。

wǒ zài gěi tā xǐ yī fu
我在给他洗衣服。

wǒ zài gěi tā xiū chē
我在给他修车。

tǐng měi de
挺美的。

tǐng xiǎng nǐ de
挺想你的。

tǐng yàn de
挺艳的。

tǐng ài wánr de
挺爱玩(儿)的。

tǐng chǒu de
挺丑的。

tǐng yuàn yì de
挺愿意的。

tǐng bàng de
挺棒的。

tǐng zǒu qiào de
挺走俏的。

kuài kāi xué le
快开学了。

kuài kāi fàn le
快开饭了。

kuài kāi chē le
快开车了。

kuài gǎn bú shàng huǒ chē le
快赶不上火车了。

Substitutional Drills

Please help me weigh it.

Please help me hold/take it.

Please help me fix it.

Pretty beautiful.

Miss you quite a lot.

Pretty colourful.

Likes to play quite a bit.

Pretty ugly.

Quite willing.

Pretty great.

Pretty popular.

I am writing to a friend.

I am washing his laundry.

I am fixing his bike.

School will start soon.

It's meal time soon.

The bus will leave soon.

Soon I won't be able to catch the train.

dì shí bā kè　　shàng wǎng

第十八课 上 网

huì huà
会话

Lan Lan, it's time for dinner.

A

zhài jiā lǐ
（在家里。）

lǐ hóng　　lán lan　gāi chī fàn le　　ai　　lán lan　　nǐ
李红：兰兰，该吃饭了。哎，兰兰，你

zěn me yòng nǐ bà de diàn nǎo ne
　　　怎么用你爸的电脑呢？

lán lan　　mā ma　　zán jiā nà tái tái shì de rǎn shàng bìng
兰兰：妈妈，咱家那台台式的染上病

dú le　　　lǎo sǐ jī　　zài shuō　wǒ xǐ huan yòng
　　　毒了，老死机！再说，我喜欢用

bǐ jì běn diàn nǎo
　　　笔记本电脑。

LESSON EIGHTEEN
On the Internet

 Dialogue

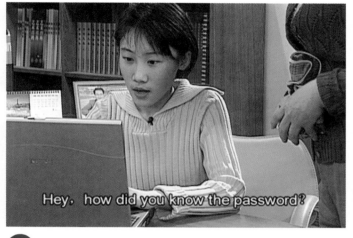

Hey, how did you know the password?

A

(At home.)

Li Hong: Lan Lan, it's time for dinner.

Hey, Lan Lan, how come you're using your dad's computer?

Lan Lan: Mom, our desktop computer's infected with a virus, it always goes dead! Besides, I like using notebook computers.

李红： lǐ hóng
看你爸回来不说你才怪呢！
kàn nǐ bà huí lai bù shuō nǐ cái guài ne

兰兰： lán lan
妈妈，我又没玩(儿)游戏，我是上
mā ma wǒ yòu méi wánr yóu xì wǒ shì shàng
网 学习知识！
wǎng xué xí zhī shi

李红： lǐ hóng
哎，你怎么知道密码的？
ai nǐ zěn me zhī dao mì mǎ de

兰兰： lán lan
打电话问我爸呗！
dǎ diàn huà wèn wǒ bà bei

李红： lǐ hóng
你呀，都被你爸给宠 坏了。快吃
nǐ ya dōu bèi nǐ bà gěi chǒng huài le kuài chī
饭吧，吃完饭再看。
fàn ba chī wán fàn zài kàn

兰兰： lán lan
一分钟，我在存盘。(走向 餐桌)
yì fēn zhōng wǒ zài cún pán zǒu xiàng cān zhuō
我爸不回来吃饭啦？
wǒ bà bù huí lai chī fàn la

李红： lǐ hóng
他晚上 有宴会。
tā wǎn shang yǒu yàn huì

Isn't my dad coming home for dinner?

Li Hong: Just wait till your dad comes home, it'll be a wonder if he doesn't tell you off!

Lan Lan: Mom, I'm not playing computer games, I'm gaining knowledge from the internet!

Li Hong: Hey, how did you know the password?

Lan Lan: I asked dad on the phone!

Li Hong: You're totally spoilt by your dad. Come on, let's eat, you can do that afterwards.

Lan Lan: One minute, I'm saving to disk.

(walks towards dining table)

Isn't my dad coming home for dinner?

Li Hong: He has a formal dinner tonight.

B

zài xiào yuán lǐ
（在校园里。）

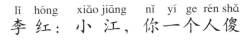

李红： lǐ hóng 小江，你一个人傻笑什么呢？
（xiǎo jiāng nǐ yí ge rén shǎ xiào shén me ne）

小江： xiǎo jiāng 嘿嘿，李老师，我在看手机短信。您快来看，逗死了。
（hēi hēi lǐ lǎo shī wǒ zài kàn shǒu jī duǎn xìn nín kuài lái kàn dòu sǐ le）

李红： lǐ hóng 这就是你新买的手机？你不是说手机有辐射吗？
（zhè jiù shì nǐ xīn mǎi de shǒu jī nǐ bú shì shuō shǒu jī yǒu fú shè ma）

小江： xiǎo jiāng 李老师，我又不放在耳边打。这是最新款式的手机。不仅能收发电子邮件，还能照像呢！
（lǐ lǎo shī wǒ yòu bú fàng zài ěr biān dǎ zhè shì zuì xīn kuǎn shì de shǒu jī bù jǐn néng shōu fā diàn zǐ yóu jiàn hái néng zhào xiàng ne）

李红： lǐ hóng 你还不如买台电脑和数码相机呢！
（nǐ hái bù rú mǎi tái diàn nǎo hé shù mǎ xiàng jī ne）

B

(In the school ground.)

L i   H o n g : Xiao Jiang, what are you giggling at?

Xiao Jiang: Hehe, Teacher Li, I'm reading the short messages on my mobile phone. You should see it, it's so funny.

L i   H o n g : Hey, Xiao Jiang, is this the new mobile phone you bought? Didn't you say that mobile phones have radiation?

Xiao Jiang: Teacher Li, I don't use it next to my ear. This is the latest model mobile phone. Not only can I send and receive e-mail, but I can also take photographs!

L i   H o n g : You're better off buying a computer and a digital camera!

cháng yòng yǔ jù
常 用 语 句

dòu sǐ le
逗死了。

bù jǐn ...... hái ......
不仅……还……

bù jǐn néng shōu fā diàn zǐ yóu jiàn   hái néng zhào xiàng ne
不仅能 收发电子邮件，还能 照 像呢！

hái bù rú
还不如……

hái bù rú mǎi tái diàn nǎo hē shù mǎ xiàng jī ne
还不如买台电 脑和数码 相机呢！

bù ...... cái ......
不……才……

bù shuō nǐ cái guài ne
不说你才怪呢！

zài shuō
再说，

zài shuō   wǒ xǐ huan bǐ jì běn diàn nǎo
再说，我喜欢笔记本 电 脑。

🫖Common Expressions

So funny.

Not only ... but ...

Not only can it send and receive e-mail, but it can take photographs!

You're better off ......

You're better off buying a computer and a digital camera!

It'll be a wonder if ... doesn't...

It'll be a wonder if your dad doesn't tell you off when he comes back!

Besides,

Besides, I like using notebook computers.

diàn nǎo 电 脑	fú shè 辐射
zán 咱	xīn kuǎn 新 款
rǎn shàng 染 上	diàn zǐ yóu jiàn 电子邮件
bìng dú 病 毒	shù mǎ xiàng jī 数 码 相 机
zài shuō 再 说	chǒng huài le 宠 坏 了
bǐ jì běn 笔记本	zhī shi 知识
sǐ jī 死机	zhī dào 知道
tái shì diàn nǎo 台 式 电 脑	yàn huì 宴会
mì mǎ 密码	shǎ xiào 傻 笑
cún pán 存 盘	dōu sǐ le 逗死了
yóu xì 游戏	ěr biān 耳边
shǒu jī 手机	zhào xiàng 照 像
duǎn xìn 短 信	bù rú 不 如

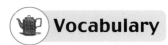

Vocabulary

computer	radiation
our	new model
infected	electronic mail (e-mail)
virus	digital camera
anyway	totally spoilt
notebook (computer)	knowledge
computer goes dead	know
desktop computer	formal dinner, banquet
password	giggling
saving to disk	so funny
game	next to the ear
mobile phone	take a photograph
short message	may as well

中国的互联网络

中国的互联网络起步比较晚，但发展迅速。目前，互联网几乎覆盖了全国各大中小城市，并每年以15%～20%的速度不断增长。中国从刚开始只有一个国际出口线，300多个入网用户到如今的若干个国际出口线，国际出入口总带宽增至2000Mbps，6800万个入网用户。

在中国，使用互联网获取信息非常方便，在家、学校、办公室、宾馆的商务中心都可以上网。中国的各大中小城市还设有网吧。电信局也有专线，如：169，263等，用电话拨号上网在中国较为普遍，但速度稍慢一些。较为快一点的网线有中国长城网、ADSL 或 ISDN。在家

Cultural Background

Internet in China

The Internet was introduced to China fairly late but its growth has been phenomenal. At present, internet access is available throughout China and its coverage is growing at 15% ~ 20% annually. From its humble beginnings of having only one international outgoing cable and 300 users to the current several international outgoing cables and

bandwidth of 2000Mbps, and a 68 million strong netizen population.

It is highly convenient to access information via the internet in China, at home, in schools, offices, hotel business centers. There are also internet cafes to be found in various cities

around China, as well as internet access at post and telecom offices. Dial-up access is common in China but it can be slow. Faster internet is available through China Great Wall Net, ADSL or ISDN. Payment

上网要买上网卡，多买有一定的优惠。许多政府机关、企业、有影响和规模较大的公司都有各自的网站。上网查信息、网上教学、网上招聘人员、

网上购物、网上订票、在网上聊天室聊天交友已成为当今的时尚。人们也可以通过互联网往世界各地发送短信或邮寄信件，用其替代电话，不仅缩短了各国人民之间进行交流的距离，同时也节省了很多宝贵的时间。中国媒体也有五大网站，新华网(www.xinhua.com) 和中国中央电视台的网站(www.cctv.com) 在中国很有影响。您可以通过上述网站查询来自中国的新闻消息，及时获悉不同频道播出的节目，还可以在网上观看中国丰富多彩的电视节目。

随着中国国民经济的不断发展，中国的互联网络将会被进一步的合理利用，入网用户将会越来越多。

can be made through the post office, telecom outlets or by buying prepaid cards. Many government organizations, com-

panies and even individuals have their own websites. Online activities such as net surfing, on-line education, internet recruitment, on-line shopping and reservations, cyber chats have all achieved remarkable popularity in today's China. Sending short messages, e-mail or chatting on the internet to

friends and families overseas not only promotes communication, it is also time-saving. China's media organizations have their own websites, there is the premier newsagency www.xinhua.com,

China Central Television at www.cctv.com, etc. You can peruse information on China from these sites or even watch Chinese television online.

One thing is for sure, China's ever-growing economy will mean corresponding development in its internet technologies and usage.

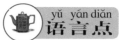
语言点

① "逗死了" —— 表示程度。

例如：累死了。

忙死了。

饿死了。

热死了。

② "不仅……还……" —— 表示更进一步的强调。

例如：他不仅能唱歌，还能跳舞。

昆明不仅四季如春，还景色宜人。

③ "还不如……" —— 表示比较，"还不如"前面提到的事或人没有后面提到的好。

例如：火车票这么贵，还不如坐飞机。

这本书这么难，还不如找本简单的读。

长安街太堵车，还不如走二环路呢！

Language Points

1 " 逗死了 " — shows extent.

For example:

So tired.

So busy.

So hungry.

So hot.

2 " 不仅……还…… " — "Not only...but also..." shows further emphasis.

For example:

Not only can he sing, but he also dances. Kunming not only enjoys mild weather all year round, its scenery is very attractive.

3 " 还不如…… " — "You're better off..." indicates comparison, the aforementioned matter or person is not as good as the latter.

For example:

Train tickets are so expensive, you're better off going by plane.

This book is so hard, you're better off reading an easier one.

Chang An Avenue is so congested, you're better off taking the second ring road!

小于做这件事还不如小王做得好呢！

④ **"那台台式的。"**
——省略"的"
后面的名词。
例如：你喜欢
哪把雨伞？ —
那把红色的。

哪位是你女儿？ —那个高个儿的。

⑤ **"再说……"** —— (1)提出另外一个原因或理
由，表示进一步补充说明事情的原因。
例如：北京冬天太冷了，**再说**老刮风。
别走得太晚了，**再说**路也太远。
(2)把某事放到以后再办或再考虑。
例如：等小于回来后**再说**。
这事情等几天**再说**。

⑥ **"不说你才怪。"**——表示否定之
肯定。这句话意思是肯定会说你
的。
例如：他总吃，不胖才怪呢！
(肯定会胖)
他不按时起床，上课不迟
到才怪呢！(肯定会迟到)

Xiao Yu is not as good doing this as Xiao Wang!

④ " 那台台式的. " — "That desktop one" leaves out the noun after the " 的 ".

For example:

Which umbrella do you like? — That red one.

Which one is your daughter? — That tall one.

⑤ " 再说…… " — "Besides..." (1)raises another reason or explanation,to further clarify the matter.

For example:

Beijing's winter is too cold,besides it's always windy.

Don't go too late, besides the journey is too far.

(2)To leave something till later or consider something at a later time.

For example:

Wait till Xiao Yu comes back.

Leave this matter for a few days.

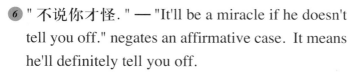

⑥ " 不说你才怪. " — "It'll be a miracle if he doesn't tell you off." negates an affirmative case. It means he'll definitely tell you off.

For example:

He always eats, it'll be a wonder if he doesn't get fat! (it's certain he'll get fat)

He doesn't get up on time, it'll be a wonder if he's not late for classes!(it's certain he'll be late)

⑦ "你怎么知道的？" 表示惊讶。

　　例如：你是怎么知道他的名字的？（原以为她

　　　　　不知道他的名字。）

你怎么知道我喜
欢蓝色？（感到
惊讶和奇怪。）

⑧ "**被宠坏**"——被
字句。在汉语里，
有的句子在谓语
动词前有一个表示被动意义的介词"被"或
由"被"组成的介词短语作状语，这种句子
叫"被"字句。"被"相当于英语里面的"by"，
但在句中的位置不同。"被"字后有宾语。

　　例如：被风吹的。

　　　　　被太阳晒的。

　　　　　被赶走了。

　　　　　被医生治好了。

⑨ "**我在存盘**" —— 这里的
"**在**" 表示正在的意思。

⑦ " 你怎么知道的?
"—"How did you
know?" shows
surprise.

For example:

How did you know
h i s   n a m e ?
(Original premise
was that she didn't know his name.)

How do you know I like blue? (feels surprise and
wonder.)

⑧ "被宠坏" —"been spoilt rotten" is a "被" sentence.
In Chinese, some sentences add a " 被 " or a
preposition phrase formed with " 被 " as an
adverbial adjunct before the predicate verb, these
sentences are called " 被 " sentences. " 被 " is
equivalent to the word "by" in English,but it is

positioned differently in sentences. There
is an object after the" 被 ".

For example:

Blown by the wind.
Scorched by the sun.
Chased away.
Cured by the doctor.

⑨ " 我在存盘 " — "I'm saving to disk."
the" 在 " here means "right now".

zhù shì
注释

1. "傻笑"——只有在熟人之间使用，一般是长辈对晚辈说的话。

2. "宠坏了"—— 在中国，一对夫妻就一个孩子。许多做父母的很爱孩子，有时孩子要什么给

什么。一些孩子抓住父母的心理，任意的做事情，养成了坏习惯。这就是文中对话提到的"宠坏了"的意思。

Explanatory Notes

1 " 傻笑 " — only used among people who know each other well, usually from a senior person to a younger or junior person.

2 " 宠坏了 " — "spoilt rotten", many couples only have one child in China. With abundant attention and love lavished on the child, sometimes the child plays on the parents' willingness to satisfy his/her every desire and develops bad habits. This is the " 宠坏了 " as mentioned in this lesson's dialogue.

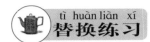

替换练习 tì huàn liàn xí

dòu sǐ le
逗死了。

máng sǐ le
忙死了。

xiào sǐ le
笑死了。

lèi sǐ le
累死了。

è sǐ le
饿死了。

bù wán chéng zuò yè lǎo shī bù shuō nǐ cái guài ne
不完成 作业老师不说你才怪呢！

bù zǎo qǐ chuáng bù chí dào cái guài ne
不早起床 不迟到才怪呢！

bù tīng huà nǐ mā bù dǎ nǐ cái guài ne
不听话你妈不打你才怪呢！

wǒ kàn mǎi hóng yán sè de máo yī hái bù rú mǎi lǜ yán sè de ne
我看买红颜色的毛衣，还不如买绿颜色的呢！

qù wáng fǔ jǐng sàn bù hái bù rú qù gōng yuán sàn bù ne
去王府井散步，还不如去公园散步呢！

nǐ hái bù rú zuò dì tiě qù qián mén ne
你还不如坐地铁去前门呢！

bù jǐn yào shú dú hái yào bèi xià lái
不仅要熟读，还要背下来。

tā bù jǐn ài xué xí hái ài láo dòng
他不仅爱学习，还爱劳动。

wǒ men bù jǐn yào xué hǎo hàn yǔ hái yào yòng hǎo hàn yǔ
我们不仅要学好汉语，还要用好汉语。

tā bù jǐn néng chī hái néng shuì
他不仅能吃还能睡。

Substitutional Drills

It'll be a wonder if you don't finish your homework and the teacher doesn't tell you off!

It'll be a wonder if you're not late if you don't get up early!

It'll be a wonder if you're naughty and your mother doesn't spank you!

I think that buying a red sweater is not as good as buying a green one!

Taking a stroll in Wangfujing is not as good as taking a stroll in a park!

You're better off taking the subway to Qianmen!

So funny.

So busy.

Laughed so hard.

So tired.

So hungry.

Not only do we have to read it repeatedly, we have to remember it by heart.

Not only does he love to study, but he also loves to work.

Not only do we have to learn Chinese well, but we also have to use Chinese well.

Not only can he eat a lot, but he can sleep a lot too.

dì shí jiǔ kè dìng piào

第十九课 订 票

huì huà
会话

A

zài bàn gōng shì
（*在办公室。*）

xiǎo dīng liú jīng lǐ
小 丁：刘经理

liú míng xiǎo dīng xià xīng qī yī wǒ yào qù shēn zhèn kāi huì
刘 明：小 丁，下星期一我要去深圳开会，

qǐng bāng wǒ dìng yì zhāng qù shēn zhèn de jī piào
请 帮 我订一 张 去深 圳的机票。

xiǎo dīng hǎo liú jīng lǐ nín shén me shí hou huí lai
小 丁：好，刘经理。您什么时候回来？

liú míng kāi sān tiān huì xià xīng qī sì huí běi jīng
刘 明：开三天会，下星期四回北京。

xiǎo dīng hǎo
小 丁：好！

LESSON NINETEEN
Booking Tickets

 Dialogue

OK. Manager Liu.

A

(At the office.)

Xiao Ding: Manager Liu.

Liu Ming: Xiao Ding, next Monday I have to

attend a conference in Shenzhen,

please book an airfare to Shenzhen for me.

Xiao Ding: OK, Manager Liu. When are you coming back?

Liu Ming: The conference is for three days,

I'll come back to Beijing next Thursday.

Xiao Ding: All right.

B

dìng piào chù
(订票处。)

jiǎ　　　　nǐ hǎo
甲 ：你好！

xiǎo dīng　　nǐ hǎo　　wǒ xiǎng dìng yì zhāng xià zhōu yī qù shēn
小 丁：你好！我想 订一张下周一去深

zhèn de jī piào
圳的机票。

jiǎ　　　qǐng wèn dān chéng hái shì wǎng fǎn
甲 ：请 问单 程 还是 往 返？

xiǎo dīng　wǎng fǎn de　　xià xīng qī sì huí běi jīng
小 丁：往 返 的。下星期四回北京。

jiǎ　　　qǐng wèn chéng kè xìng míng
甲 ：请 问 乘 客 姓 名？

xiǎo dīng　liú míng　zhè shì shēn fèn zhèng
小 丁：刘明。这是身份证。

jiǎ　　xiè xie　qǐng wèn mǎi jīng jì cāng hái shì gōng wù cāng
甲 ：谢谢。请 问买 经济舱还是 公务舱？

May I ask if that's single or return fare?

B

(Airfare Reservations.)

A :Hello!

Xiao Ding:Hello! I'd
like to
book an
airfare to
Shenzhen

May I ask if that's single or return fare?

for next Monday.

A :May I ask if that's single or return fare?

Xiao Ding:Return. Coming back to Beijing
next Thursday.

A :Could you tell me the passenger's
name, please?

Xiao Ding:Liu Ming. This is the identity card.

A :Thank you. Would you like
economy class or business class?

please pay at the cashier's counter.

小丁： 公务舱。

甲： 6号上午9：0 5 起飞，北京至深圳，航班号为CA1 3 0 7 9号；深圳至北京，CA1 3 0 8航班。

一共 4300 元，请到收银台交款。

小丁：请问到深圳还用确认座位吗？

甲： 座位已经Ok了，不用再确认了。请提前两小时到机场办理登机手续。

Liu Ming. This is th

小丁：好，谢谢。对了，请问北京到深

Xiao Ding: Business class.

A : Departing from Beijing at 9:05am on the 6th for Shenzhen, flight number CA1307, returning from Shenzhen to Beijing on the 9th, flight number CA1308. A total of 4300 Yuan, please pay at the cashier's counter.

Xiao Ding: Could you tell me if I need to con-firm seats from Shenzhen?

A : The seats are already Ok, there's no need to re-confirm. Please get to the airport two hours earlier to undertake boarding pro-cedures.

Xiao Ding: Good, thanks. Oh right, could you tell me how much it is from Beijing to Shenzhen in economy class?

zhèn jīng jì cāng duō shǎo qián
圳 经济舱 多少钱?

jiǎ wǎng fǎn sānqiānqībǎi yuán
甲：往 返 3700 元。

xiǎo dīng yǒu yōu huì ma
小丁：有优惠吗?

jiǎ xiàn zài shì lǚ yóu wàng jì méi yǒu zhé kòu
甲：现在是旅游 旺季，没有折扣。

C

zài huǒ chē zhàn
（在火车站。）

lǐ hóng wèi xiǎo jiě nǐ hǎo wǒ xiǎng dìng èr shí zhāng
李红：喂，小姐，你好。我想 订 20 张

qù nán jīng de huǒ chē piào
去南京的火车票。

I'd like to book 20 train tickets to Nanjing.

jiǎ nǐ men zuò tè kuài
甲：你们坐特快

hái shì zhí kuài
还是直快?

lǐ hóng wǒ men zuò tè kuài
李红：我们坐特快。

qǐng wèn xué sheng
请问，学生

piào yǒu yōu huì ma
票有优惠吗?

jiǎ xué sheng piào kě yǐ
甲：学生 票可以

A : Return is 3700 Yuan.

Xiao Ding: Are there any better rates?

A : It's peak season for travel at the moment, there are no discounts.

C

(At the train station.)

Li Hong: Hello, Miss. I'd like to book 20 train tickets to Nanjing.

A : Are you traveling by super express or normal express?

Li Hong: We're taking the super express. Could you tell me if there's a student rate?

I'd like to book 20 train tickets to Nanjing.

A : Student tickets

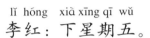

dǎ bā zhé, qǐng chū shì
打八折，请出示
yǒu xiào xué sheng zhèng
有效学生证。

lǐ hóng zhè shì xué xiào jiè shào xìn
李红：这是学校介绍信。

jiǎ hǎo de qǐng wèn mǎi nǎ
甲：好的。请问买哪
tiān de piào
天的票？

lǐ hóng xià xīng qī wǔ
李红：下星期五。

jiǎ qǐng tián yí xià dìng piào dān
甲：请填一下订票单。

lǐ hóng gěi nín xiǎo jiě qǐng wèn shén me
李红：给您。小姐，请问什么
shí hou qǔ piào
时候取票？

jiǎ tí qián sān tiān qǔ piào hái
甲：提前三天取票。还
yǒu qǐng nín liú yí xià nín
有，请您留一下您
de diàn huà hào mǎ
的电话号码。

lǐ hóng liù bā jiǔ yāo
李红：6 8 9 1……

get 20% off, please show valid student cards.

Li Hong: This is a letter of introduction from our school.

A : Alright. Could you tell me which day's tickets you'd like?

Li Hong: Next Friday.

A : Please fill in the reservation form.

Li Hong: Here you are, Miss, could you tell me when we can pick up the tickets?

A : You can pick up tickets three days in advance. Also, please leave your phone number.

Li Hong: 6891...

常用语句
cháng yòng yǔ jù

shén me shí hou
什么时候……

nín shén me shí hou huí lai
您什么时候回来?

hái shì
……还是……?

dān chéng hái shì wǎng fǎn
单程还是往返?

dǎ　　 zhé
打……折

dǎ bā zhé
打八折

tí qián
提前……

tí qián sān tiān qǔ piào
提前三天取票。

生词
shēng cí

dìng piào
订票

jī piào
机票

shén me shí hou
什么时候

shēn zhèn
深圳

huí lai
回来

chéng kè
乘客

Common Expressions

When ...?

When are you coming back?

...or...

single or return fare?

Give ...discount

Give 20% discount

...in advance

Pick up the tickets three days in advance.

Vocabulary

book a ticket	Shenzhen
plane ticket, airfare	coming back
what time	passenger

shēn fèn zhèng 身份证	zhé kòu 折扣
jīng jì cāng 经济舱	nán jīng 南京
gōng wù cāng 公务舱	huǒ chē piào 火车票
háng bān 航班	tè kuài 特快
zuò wèi 座位	zhí kuài 直快
què rèn 确认	xué shēng piào 学生票
tí qián 提前	xué shēng zhèng 学生证
bàn lǐ 办理	jiè shào xìn 介绍信
dēng jī 登机	dìng piào dān 订票单
shǒu xù 手续	qǔ piào 取票
yōu huì 优惠	tián 填

identity card	discount
economy class	Nanjing
business class	Train ticket
flight number	super express
seat	express
confirm	student ticket
ahead in advance	student card
undertake, handle	letter of introduction
boarding	reservation form
procedure	pick up tickets
better rate	fill in

wén huà bèi jǐng zhī shi
文化背景知识

北京火车站——售票和订票业务

北京火车站是全国铁路客运重要枢纽，分别由北京站、北京西站、北京南站和北京北站等"四站"组成。

售票（以北京站为例）：

北京站售票大厅设有 26 个售票窗口，全部窗口均发售当日至第四日北京站、北京西站、北京南站和北京北站始发的各次列车软座、硬座车票，其中有 12 个窗口还办理中转签字和快车票。第二号窗口同时发售国际联运列车国内段车票，第十一号和第十二号为退票窗口并24小时昼夜不间断售票，旅客要求退票时，按20%收取手续费。

国际售票处位于车站一楼大厅软席候车室内，设有三个窗口，发售四日内"四站"始发的各次列车软硬座、软硬卧车票。国际售票处还同时办理：

Cultural Background

Beijing Railway station–
Ticket Sales and Reservations

Beijing railway station is an important hub for railway transportation in China, there are four stations -- Beijing station and Beijing west station, Beijing south station and Beijing north station.

Ticket Sales (e.g. Beijing Station):

Beijing Station's ticket sales hall has 26 windows, all windows sell soft-seat and hard-seat tickets for train services that depart from any of the four stations on the current day or any one of the subsequent four days. 12 of the windows also process transfers or amendments to tickets. The No.2 window sells the domestic portion of international rail link tickets, while No.11 and 12 windows are ticket refund windows and they operate around the clock. Refunds will incur a 20% processing fee.

The international ticket sales center is situated in the soft sleeper departure lounge on the first floor of the station, there are three windows, which sell all classes of tickets for all services that depart from any of the four stations on the current day or any one of the subsequent four days. The international ticket sales center also handles:

1.各种会议团体、旅行团体、购票和订票业务;

2.业务洽谈、办理旅游专列、学生专列、民工专列、会议专列业务;

3.会议服务,大型会议、送票到家;

4.联系电话:0086-10-65128930。

当您不便到车站订票时,您也可以打电话订票。电话订票面向单位、团体、个人,预定第四日"四站"始发的各次列车软硬座、软硬卧车票,并安排到便利的售票点取票。订票电话:0086-10-51834512 或 51834672;问讯电话:51019999。

为方便乘客,北京站还为旅客开辟应急乘车绿色通道,设置转口售票,为在窗口来不及购票而急于赶车的旅客办理补票手续。

车站还为以下持有相应证件的人员出售减价票:

1.身高不超过 1.4 米的儿童;

2.正规学校没有工资收入的学生和研究生;

3.伤残军人半价票。

1. Ticketing and reservations for conference delegations, travel groups;

2. Train hire for tourist groups, students, migrant workers and conferences;

3. Ticket delivery to conferences and homes;

4. Contact phone number: +86-10-65128930.

When it is not convenient to go to the station personally, phone bookings can also be made which is available to organizations, groups and individuals, for all classes of tickets for all services that depart from any of the four stations on the current day or any one of the subsequent four day, tickets can be picked up at convenient outlets around the city. Reservation phone: +86-10-51834512 or 51834672; enquiry hotline: 51019999.

Convenience is offered to passengers with tight train schedules via green channels, and tickets can be purchased by passengers onboard the train if they were late for the train and couldn't buy tickets in time.

Discounts are offered to the following:

1. Children under 1.4 meters in height;

2. Students and graduate students at recognized school who receive no income;

3. Half-price tickets for injured or disabled military personnel.

逢年过节或旅游旺季火车票价上下浮动不超过原定票价的30%。

语言点

1. "是……还是……？" —— 是选择疑问句。这种选择疑问句是把要选择的两种或几种可能用"是……还是……?"连接起来，要求回答问题的人选择其中之一作为答案。

   例如：是公务舱还是经济舱？

   是小江还是刘明？

2. "什么时候？" —— "什么"是疑问代词。"什么时候"用于询问时间。

注释

1. "对了" —— 口语词，突然想起什么事时用。

   例如：对了，（差点儿忘了）李红让我告诉你，

   她今晚不回来吃饭了。

2. "打折扣" —— 这是商店促销的一种手段。在中国，一般逢年过节或换季时商店搞促销活动，但有时商品积压过多也搞促销活动。

It is stipulated that ticket price fluctuation for festivals, holidays or travel peak seasons shall not exceed 30%.

Language Points

1. "是……还是……?" — "Is it...or...?" is a question of choice. This type of question links the two or more alternatives using "是……还是……?", it requires the person replying to choose one option as the answer.

For example:

Is it economy class or business class? Is it Xiao Jiang or Liu Ming?

2. "什么时候?" — "What time?" "什么" or "what" is an interrogative pronoun. "什么时候" is used to ask about time.

Explanatory Notes

1. "对了" — "Oh right" is a spoken expression, used when something is remembered suddenly.

For example:

Oh right,(I almost forgot)Li Hong asked me to tell you, she's not coming home for dinner tonight.

2. "折扣" — "Discounts", this is a method used by shops to boost sales. Normally you will find such promotions in stores whenever there's a festival or when the seasons change, but also sometimes when there is overstock of merchandise.

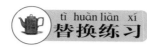

tì huàn liàn xí
替换练习

---

shì hóng sè de hái shì lán sè de
是红色的还是蓝色的?

shì dān chéng hái shì wǎng fǎn
是单程还是往返?

shì zǎo shang hái shì wǎn shang
是早上还是晚上?

shì zuò fēi jī hái shì zuò huǒ chē
是坐飞机还是坐火车?

shì qù háng zhōu hái shì qù qīng dǎo
是去杭州还是去青岛?

---

dǎ bā zhé
打 8 折。

dǎ sān zhé
打 3 折。

dǎ duō shǎo zhé kòu
打多少折扣?

dǎ zhé ma
打折吗?

dǎ diǎnr zhé ba
打点(儿)折吧!

---

shén me shí hou huí lai
什么时候回来?

shén me shí hou shàng xué
什么时候上学?

shén me shí hou kāi chē
什么时候开车?

shén me shí hou qǐ fēi
什么时候起飞?

shén me shí hou qǐ chuáng
什么时候起床?

tí qián liǎng tiān
提前 两 天。

tí qián bàn nián
提前半年。

tí qián bàn ge yuè
提前半个月。

tí qián yì zhōu
提前一周。

tí qián wǔ xiǎo shí
提前 5 小 时。

Substitutional Drills

Is it red or blue?

Is it single or return?

Is it morning or night?

Going by plane or by train?

Going to Hangzhou or to Qingdao?

Give 20% discount.

Give 70% discount.

How much discount is given?

Is there a discount?

Give some discount!

When are you coming back?

When does school start?

When does the vehicle leave?

When does the flight leave?

When to get up?

Two days in advance.

Half a year in advance.

Half a month in advance.

A week in advance.

5 hours in advance.

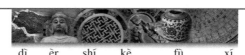

第二十课 复习

dì èr shí kè fù xí

Lesson Twenty Revision

 会话练习 huì huà liàn xí （以下是根据第十一课至第十九课内容所设置的会话。）

第十一课

liú míng dú zì dǎ shǒu jī
（刘明 独自打手机。）

liú míng dà shān chū chāi le
刘 明：大山，出差了？

dà shān gāng cóng shàng hǎi huí lai
大 山：刚 从 上 海回来。

liú míng zěn me yàng a
刘 明：怎么样啊？

dà shān tài nán shòu le wǒ men zài shàng hǎi zhù de bīn
大 山：太难受了，我们在 上 海住的宾

guǎn fáng jiān yòu xiǎo yòu guì
馆 房 间又小又贵。

Terrible, our hotel rooms in Shanghai were

刘明：是啊，俗话说，在家千日好，出
门一日难。

大山：说得太对了，哪(儿)都没有家好。

刘明：对啊，大山，你要是先看了咱们
的对话再去上海，准能找到又
大又好的房间。

大山：那我们再看一下对话？

Let's go back then and review the
dialogues, when we are talking
about hotels.

第十二课

（小江和兰兰在看钱币。）

兰兰：小江哥，这是什么啊？

小江：兰兰，这是英镑。

兰兰：一英镑能换多少人民币啊？

小江： ^{xiǎo jiāng} 一英镑能换人民^{yì yīng bàng néng huàn rén mín}
币 12 块 6。^{bì shí èr kuài liù}

兰兰： ^{lán lan} 小江哥，这是美元吧？^{xiǎo jiāng gē zhè shì měi yuán ba}

小江： ^{xiǎo jiāng} 是啊！^{shì a}

兰兰： ^{lán lan} 一美元能换多少^{yì měi yuán néng huàn duō shǎo}
人民币啊？^{rén mín bì a}

小江： ^{xiǎo jiāng} 8 块多。^{bā kuài duō}

大山： ^{dà shān} （走进来）你们俩在干什么呢？^{zǒu jìn lái nǐ men liǎ zài gàn shén me ne}

兰兰： ^{lán lan} 大山叔叔，小江哥在给我看他^{dà shān shū shu xiǎo jiāng gē zài gěi wǒ kàn tā}
集的硬币呢！大山叔叔，这是什^{jí de yìng bì ne dà shān shū shu zhè shì shén}
么啊？^{me a}

大山： ^{dà shān} 这是意大利里拉，不过现在已^{zhè shì yì dà lì lǐ lā bú guò xiàn zài yǐ}
经改欧元了。^{jīng gǎi ōu yuán le}

兰兰： ^{lán lan} 一欧元能换多少人民币啊？^{yì ōu yuán néng huàn duō shao rén mín bì a}

dà shān　　zhè yàng ba　　nǐ hái shì kàn kan wǒ men de duì huà
大山：这样吧，你还是看看我们的对话。

Ok, let's go back then and review
the dialogues now, when we are
talking about exchanging currency.

第十三课

dà shān　　xiǎo jiāng　　chū qù a
大山：小江，出去啊？

xiǎo jiāng　　tuī chē　　shì a　　wǒ yào chū qù xiū chē
小江：（推车）是啊，我要出去修车。

dà shān　　nǐ bú shì qián bù jiǔ gāng xiū hǎo de ma
大山：你不是前不久刚修好的吗？

xiǎo jiāng　　shì a　　yòu xiū le
小江：是啊，又修了。

dà shān　　kàn lái　　xiū chē shī fu shuǐ píng bù gāo
大山：看来，修车师傅水平不高。

xiǎo jiāng　hai　　gāi shuō shì wǒ de chē tài pò le
小 江，咳，该说 是我的车太破了。

dà shān　　zài jiàn
大 山：再见！

xiǎo jiāng　　zài jiàn
小 江：再见！

Ok, let's go back then and review the dialogues and see what happened last time Xiao Jiang had his bicycle repaired.

第十一课至第十三课结束语

Well, that's all the time we have for today. In today's lesson we went over the dialogues from previous lessons. We reviewed the topic like:

liú míng　　zhù bīng guǎn
刘明： 住宾馆。

dà shān
大山： Hotels.

lán lan　　huàn qián
兰 兰：换 钱。

dà shān
大 山：Changing money.

xiǎo jiāng　　xiū chē
小 江：修 车。

dà shān
大 山：Repairing a bicycle.

Next time, we've got new lessons prepared for you, so make sure you don't miss it. Until then, good bye!

第十四课

Xiao Jiang，what are you doing?

xiǎo jiāng zài dǎ chū zū chē
（小 江 在 打 出 租 车。）

dà shān　xiǎo jiāng　nǐ zhè shì gàn shén me ne　zuò cāo
大 山：小 江，你 这 是 干 什 么 呢？做 操？

xiǎo jiāng　wǒ zài jiào chū zū chē
小 江：我 在 叫 出 租 车。

dà shān　hai　nà bú shì yǒu yí liàng kōng chē ma
大 山：咳，那 不 是 有 一 辆 空 车 吗？

xiǎo jiāng　bié　nà shì fù kāng　yí kuài liù de　wǒ xiǎng
小 江：别，那 是 富 康，1 块 6 的，我 想

děng yí liàng pián yi diǎnr de
等 一 辆 便 宜 点(儿)的。

dà shān　dǎ chē dōu dǎ chū jīng yàn lái le
大 山：打 车 都 打 出 经 验 来 了。

Ok, let's go back then and review the dialogues where Xiao Jiang was taking a taxi.

第十五课

dà shān xiǎo jiāng duì huà dōu kàn
大 山：小 江，对话都看

wán le nǐ hái méi dǎ
完了，你还没打

dào chē ne
到车呢。

xiǎo jiāng dà shān zuò xià lì de rén
小 江：大山，坐夏利的人

duō bù hǎo dǎ
多，不好打。

dà shān nǐ qù shén me dì fang
大 山：你去什么地方？

xiǎo jiāng wǒ qù běi jīng dòng wù yuán
小 江：我去北京 动 物园。

dà shān nǐ hái bù rú zuò gōng gòng qì chē ne
大 山：你还不如坐 公 共汽车呢！

xiǎo jiāng zuò jǐ lù chē
小 江：坐几路车？

dà shān nǐ kàn kan duì huà jiù zhī dao le
大 山：你看看对话就知道了。

Ok, let's go back then and review the dialogues now, when we are talking about taking a bus.

第十六课

Did all the animals go into hiding?

dà shān　xiǎo jiāng　zài dòng wù yuán wánr　　de zěn me yàng
大山：小江，在动物园 玩(儿)的怎么样?

xiǎo jiāng　hai　　gāng dào dòng wù yuán jiù xià yǔ le
小江：嗨， 刚 到动物园就下雨了。

dà shān　　dòng wù dōu duǒ qǐ lai le ba
大山：动物都躲起来了吧?

xiǎo jiāng　méi cuò　　wǒ zhǐ hǎo huí lai le
小江：没错，我只好回来了。

dà shān　xià cì chū qù wánr　　zhī qián yí dìng xiān kàn kan
大山：下次出去玩(儿)之前一定 先看看

tiān qì yù bào
天气预报。

xiǎo jiāng　hǎo zhú yi
小江：好主意!

Ok, let's go back then and review the dialogues now, when we are talking about weather.

第十四课至第十六课结束语

Well, that's all the time we have for today. In today's lesson we went over the dialogues from previous lessons. We reviewed the topic like:

xiǎo jiāng　zuò chū zū chē
小江：坐出租车

dà shān
大山：Taking a taxi.

xiǎo jiāng　zuò gōng gòng qì chē
小江：坐公共汽车

dà shān
大山：Taking a bus.

xiǎo jiāng　tán tiān qì
小江：谈天气。

dà shān
大山：And talking about the weather.

We've got new lessons prepared for you next time, so make sure you don't miss it. Until then, "再见"。

第十七课

Uncle Da Shan, your letter.

Today we are going to talk about mailing letters.

lán lan
兰兰： **dà shān shū shu** 大山叔叔， **nín de xìn** 您的信。

dà shān
大山： **bú duì a** 不对啊， **zhè shì wǒ jì gěi wǒ mā de** 这是我寄给我妈的， **zěn** 怎
me yòu huí lai le 么又回来了？

lán lan
兰兰： **o** 噢， **dì zhǐ xiě cuò le ba** 地址写错了吧？

dà shān
大山： **nǐ kàn** 你看， **wǒ zuì jìn dōu máng hú tu le** 我最近都忙糊涂了。

lán lan
兰兰： **zhè suàn shén me hú tu** 这算什么糊涂， **wǒ men bān yǒu yí ge nán** 我们班有一个男

shēng jì xìn gèng hú tu
生 寄信 更 糊涂。

dà shān   zěn me huí shì
大山： 怎么回事？

lán lan   nín kàn kan duì huà jiù zhī dao le
兰兰： 您看看对话就知道了。

Ok, let's go back and review then.

第十八课

dà shān zài shàng wǎng
（大山在上网。）

lán lan   dà shān shū shu   wǒ néng yòng nín de diàn nǎo kàn
兰兰： 大山叔叔，我能用您的电脑看

kan zhè zhāng pán ma
看这张盘吗？

dà shān   dāng rán kě yǐ   bú
大山： 当然可以。不

guò   bié bǎ wǒ de diàn
过，别把我的电

nǎo rǎn shàng bìng dú jiù
脑染上病毒就

xíng le
行了。

lán lan   fàng xīn ba   zhè zhāng
兰兰： 放心吧，这张

pán gāng gěi wǒ men jiā diàn nǎo rǎn shàng bìng dú
盘 刚 给 我们 家 电 脑 染 上 病毒。

dà shān　　ai　 děng huǐr　　ba　　wǒ men hái shì qù kàn
大山： 哎， 等 会(儿)吧！ 我们 还是 去 看

kan duì huà ba
看 对话 吧。

> Ok, let's go back then and review the dialogues now, when we are talking about computers and the Internet .

第十九课

xiǎo jiāng　 xiǎo jiě　　 yào piào ma
小 江： 小姐， 要 票 吗？

xiǎo dīng　 wǒ yào qù chéng dū　de huǒ chē piào　 duō shǎo qián
小 丁： 我 要 去 成都 的 火车票， 多少钱？

xiǎo jiāng　wǔ bǎi yuán　dǎ bā zhé le
小 江：500 元，打八折了。

xiǎo dīng　wǔ bǎi　tài guì le　bú yào le
小 丁：500？太贵了，不要了。

xiǎo jiāng　xiǎo jiě　zhè kě shì lǚ yóu wàng jì
小 江：小姐，这可是旅游 旺季。

xiǎo dīng　lǚ yóu wàng jì　bǐ méi dǎ zhé de hái yào guì ne
小 丁：旅游 旺季，比没打折的还要贵呢！

xiǎo jiāng　yào bú yào　yào bú zài gěi nǐ pián yi diǎnr
小 江：要不要，要不再给你便宜点(儿)?

dà shān　hai　jǐng chá lái le
大 山：咳，警察来了。

Remember do not buy a ticket from Scopers. Ok, let's go back then and review the dialogues now, when we are talking about reserving tickets.

第十七课至第十九课结束语

Well, that's all the time we have for today. In today's lesson we went over the dialogues from earlier lessons. We talked about:

lán lan　jì xìn
兰 兰：寄信

dà shān
大山：Mailing letters

lán lan　shàng wǎng
兰兰：上网

dà shān
大山：On the internet

xiǎo dīng　dìng piào
小丁：订票

dà shān
大山：Booking tickets.

Next time, we've got new lessons prepared for you so make sure you don't miss it. Until then, good-bye!

yòng suǒ xué zhī　zhi wán chéng xià　liè　huì huà
用所学知识完成下列会话

wǒ kě　yǐ　yù dìng huǒ chē piào ma
A 我可以预定火车票吗？

nín qù nar
B _____。您去哪（儿）？

wǒ men qù　běi jīng
A 我们去北京。

B —————————?

wǒ men zuò tè kuài　qǐng wèn　　wǒ men shì xué sheng
A 我们坐特快。请问，我们是学生，

yǒu yōu huì ma
有优惠吗？

　　　　　　　　　qǐng chū shì yǒu xiào
B ——————，请出示有效

xué sheng zhèng
学生证。

A ——————。

hǎo de
B 好的。——————？

zhè ge xīng qī　rì de piào
A 这个星期日的票。

B ——————。

gěi nín　　xiān sheng　qǐng wèn shén me shí hou qǔ piào
A 给您。先生，请问什么时候取票？

　　　　　hái yǒu　　qǐng liú yí xià nín de
B ———。还有，请留一下您的———。

liù bā wǔ qī yāo èr líng sān
A 6 8 5 7 1 2 0 3。

xiè xie　zài jiàn
B 谢谢，再见！

zài jiàn
A 再见！

qǐng yòng xià mian suǒ gěi de cí zào jù
请 用 下 面 所 给 的 词 造 句

yù dìng 预定	yí xiàr 一下(儿)	xiàng yí yàng 像……一样
zhù sù 住宿	yā jīn 押金	jì xìn 寄信
xǐ huan 喜欢	xiū chē 修车	tiē 贴
pián yi 便宜	dǎ dī 打的	bù jǐn hái 不仅……还……
tián 填	dǔ chē 堵车	zài shuō 再说
cún fàng 存放	huàn chéng 换乘	hái bù rú 还不如
duō shǎo qián 多少钱	má fan 麻烦	zhī dao 知道
bǐ jià 比价	qì wēn 气温	dìng piào 订票
huàn qián 换钱	jǐng sè 景色	shén me shí hou 什么时候
dāng rán 当然	tiān qì 天气	yōu huì 优惠

tián kòng
填空（根据所学会话 完 成 下 列 句 子）
gēn jù suǒ xué huì huà wán chéng xià liè jù zi

① 请您——一下——登记表。
qǐng nín　　yí xià　　dēng jì biǎo

② 我是前天打电话——的。
wǒ shì qián tiān dǎ diàn huà　　de

③ 我—换一个大一点(儿)的标准间?
wǒ huàn yí ge dà yì diǎnr de biāo zhǔn jiān

④ 今天的——是 1 : 8 . 29。
jīn tiān de　　shì yī bǐ bā diǎn èr jiǔ

⑤ ——您 帮 我 修 修。
nín bāng wǒ xiū xiu

⑥ 这是您新买的——?
zhè shì nín xīn mǎi de

⑦ 我们——走——, ——走南二环路。
wǒ men zǒu　　zǒu nán èr huán lù

⑧ 你——去哪(儿)?
nǐ qù nǎr

⑨ 从 美术 馆—王府井—多 长 时间?
cóng měi shù guǎn wáng fǔ jǐng duō cháng shí jiān

⑩ 你—这条马路 往 前走, 第二个路口
nǐ zhè tiáo mǎ lù wǎng qián zǒu dì èr ge lù kǒu

yòu guǎi jiù shì
右拐就是。

dào zhàn shí qǐng ___ wǒ yí xiàr
⑪ 到 站 时 请_____我 一 下(儿)。

nǐ ___ zuò dì tiě ___ jiǎn dān yòu bù
⑫ 你—坐 地铁，—简单，又不___。

wǒ jiù àn bà ba shuō de bàn wǒ bù
⑬ _____！我 就 按 爸爸 说 的 办，我 不

xǐ huan
喜 欢_____。

míng tiān wǒ men yǒu lán qiú ___ nǐ lái gěi wǒ
⑭ 明 天 我 们 有 篮球_____，你 来 给 我

men ba
们_____吧！

nà wèi shén me shuō shàng yǒu sū háng ne
⑮ 那 为 什 么 说 "上 有—，—苏杭" 呢？

míng tiān de tiān qì
⑯ 明 天 的 天 气_____？

wǒ xiǎng bǎ zhè zhāng jì wǎng jiā ná dà
⑰ 我 想 把 这 张_____寄往加拿大。

zhè fēng xìn le yào tiē bā yuán yóu piào
⑱ 这封信_____了，要 贴 8 元 邮票。

nǐ hái bù rú mǎi tái diàn nǎo hé ne
⑲ 你 还 不 如 买 台 电脑 和_____呢！

qǐng tí qián liǎng xiǎo shí dào jī chǎng dēng jī shǒu xù
⑳ 请 提 前 两 小 时 到 机场_____登 机 手续。

xiě zuò
写作

　　用所学知识写一段话，介绍一下
（儿）您（住旅店、修车、寄信、订票或
上网）的经历。（任选其中一项，字数在
80 字以内）

总词汇表
Vocabulary List

第十一课
Lesson Eleven

房间	（名）	room	(n.)
标准间	（名）	standard room	(n.)
单人间	（名）	single room	(n.)
双人间	（名）	double room	(n.)
空房间	（名）	vacant room	(n.)
什么样的房间		what type of room	
预定	（名）	reservation	(n.)
住宿	（动）	accommodation	(n.)
填	（动）	fill out	
登记表	（名）	registration form	(n.)
行李	（名）	luggage	(n.)
行李牌	（名）	luggage tag	(n.)
房间钥匙	（名）	room key	(n.)
住宿费(房费)	（名）	accommodation charge	(n.)
阴面	（名）	shaded side (room tariff)	(n.)
阳面	（名）	sunny side	(n.)
存放(行李)	（动）	keep, store (luggage)	(v.)

寄存处	（名）	luggage check room	(n.)
换房间		switch room	
两天后		after two days	
前天	（名）	the day before yesterday	
喜欢	（动）	like	(v.)
稍等		wait a moment	
可以(不可以)(动、能愿)		can,(can't)	(modalv.)
钱(多少钱)	（名）	money (how much money)(n.)	
便宜	（形）	cheap	(adj.)
没关系		that's alright	

第十二课
Lesson Twelve

换钱	（动）	change money	
比价	（名）	exchange rate	(n.)
英镑	（名）	British pound	(n.)
美元	（名）	US dollar	(n.)
汇率	（名）	exchange rate	(n.)
兑换单	（名）	exchange form	(n.)
信用卡	（名）	credit card	(n.)
人民币	（名）	RMB	(n.)
硬币	（名）	coin	(n.)

外汇	（名）	foreign currency	(n.)
现钞	（名）	cash	(n.)
填单		fill out form	
点钱		count the money	
一样	（形）	same	(adj.)
当然	（副）	certainly, of course	(adv.)
集	（动）	collect	(v.)

第十三课
Lesson Thirteen

师傅	（名）	master	(n.)
修(自行车)	（动）	repair (bike)	(v.)
车铃	（名）	bike bell	(n.)
挡泥板	（名）	mud flap	(n.)
气筒	（名）	inflator, bicycle pump	(n.)
车筐	（名）	bicycle basket	(n.)
二手车(自行车)	（名）	second hand bike	(n.)
打气	（动）	inflate	(v.)
前闸	（名）	front brake	(n.)
后闸	（名）	rear brake	(n.)
租车(自行车)	（动）	rent (a bike)	(v.)
车响		bike noise	

铃不响		bell doesn't ring	
男车	（名）	men's bike (bike for men) (n.)	
女车	（名）	women's bike	
		(bike for women)	(n.)
山地车	（名）	mountain bike	(n.)
赛车	（名）	racing bike	(n.)
押金	（名）	deposit	(n.)
兴奋	（动、形）	excite	(v.)
		excited	(adj.)
真过瘾		feels terrific	
成为	（动）	become	(v.)
一族	（名）	people (type of)	(n.)
交(交付)	（动）	pay	(v.)
颜色	（名）	colour	(n.)
车辆	（名）	vehicle(s)	(n.)

第十四课
Lesson Four

打的	（动）	take(a taxi)	(v.)
我要去		I'm going to	
堵车	（名）	traffic jam	(n.)

走那条路？		Which route do we use?	
那就是		That's it.	
稍等		wait a moment.	
留	（动）	leave	(v.)
先去		go first	
再到		then we go to	
从……到……		from...to...	
需要多长时间？		How much time does it take?	
多少钱？		How much does it cost?	
忘	（动）	forget	(v.)
别忘了		don't forget	
带上	（动）	bring	(v.)
东西	（名）	belongings	(n.)

第十五课
Lesson Fifteen

电车	（名）	tram, electric cablecar	(n.)
公共	（形）	public	(adj.)
汽车站	（名）	bus stop	(n.)
买票	（动）	buy(a ticket)	(v.)
您到哪儿？		Where are you going?	
到站		The stop is here.	

扶好	（动）	hold on	(v.)
坐几路车？		Which bus to take?	
终点站	（名）	final stop,terminus	(n.)
直线	（名）	straight line(No.1)	(n.)
环线	（名）	loop line	(n.)
地铁	（名）	subway	(n.)
换乘	（动）	transfer, change	(v.)

第十六课
Lesson Sixteen

篮球	（名）	basketball	(n.)
比赛	（动、名）	compete	(v.)
		competition	(n.)
加油	（动）	cheer(on)	(v.)
转	（动）	turn	(v.)
		turning	
最高	（副）	highest, maximum	(adv.)
乒乓球	（名）	table tennis	(n.)
没关系		That's alright.	
放假	（名）	holiday	(n.)
痛痛快快		to one's heart's content	
天堂	（名）	paradise	(n.)

景色	（名）	scenery	(n.)
美	（形）	beautiful	(adj.)
桂花	（名）	osmanthus flower	(n.)
秋季	（名）	autumn	(n.)
风和日丽		mild and sunny	
香	（形）	fragrant	(adj.)
游泳	（动）	swim	(v.)
糟了		Oh, no!	

天气用语

天气	（名）	weather	(n.)
预报	（动、名）	forecast	(v.&n.)
晴天	（名）	sunny day	(n.)
阴天	（名）	cloudy day	(n.)
雷阵雨	（名）	thunder, shower	(n.)
风力	（名）	wind force	(n.)
气温	（名）	temperature	(n.)
刮风		wind blow	
潮湿	（形）	humid	(adj.)
闷热	（形）	sultry	(adj.)
季节	（名）	season	(n.)

苏州	（专名）	Suzhou	(proper n.)
杭州	（专名）	Hangzhou	(proper n.)
大连	（专名）	Dalian	(proper n.)
西湖	（专名）	Xihu(West Lake)	(proper n.)

第十七课
Lesson Seventeen

贺年卡	（名）	New Year's greeting card(n.)	
贺卡	（名）	greeting card	(n.)
电子贺卡	（名）	electronic greeting card (e-card)	(n.)
地址	（名）	address	(n.)
不少		more than a few	
错	（形）	wrong	(adj.)
男生	（名）	boy student	(n.)
猜	（动）	guess	(v.)
放学	（动）	to be out of school	
秒	（量）	second	(measure word)
一秒钟		one second	
过年	（动）	spend(NewYear's holidays)	(v.)
对方	（名）	the other side	(n.)

收	（动）	receive	(v.)
挺	（副）	quite	(adv.)
怀旧	（形）	nostalgic	(adj.)
国外地	（副）	overseas	(adv.)
朋友	（名）	friend	(n.)
班级	（名）	class	(n.)
特(别地)	（副）	really	(adv.)
发(信)		send(letters)	(v.)
回到	（动）	returned	(v.)
贴	（动）	stick	(v.)
贴邮票		stick on a postage stamp	
自己	（代）	self	(pron.)
照片	（名）	photo(s)	(n.)
加拿大	（国名）	Canada	(country name)
美国	（国名）	the United States of America (country name)	
重量	（名）	weight	(n.)
超重	（动）	overweight	(v.)
平信	（名）	surface mail	(n.)
寄(信)		send(a letter)	(v.)
写(信)		write(a letter)	(v.)

邮局	（名）	post office	(n.)
挂号信	（名）	registered post	(n.)
邮票	（名）	postage stamp	(n.)
首日封	（名）	first day cover	(n.)
纪念邮票	（名）	souvenir stamp	(n.)
一套		a set	
收信人	（名）	addressee	(n.)
寄信人	（名）	sender	(n.)
明信片	（名）	postcard	(n.)
包裹	（名）	parcel	(n.)
剩下的	（形）	remaining	(adj.)

第十八课
Lesson Eighteen

电脑	（名）	computer	(n.)
咱(们)	（代）	our	(pron.)
染上	（动）	infected	(v.)
病毒	（名）	virus	(n.)
再说		anyway	
笔记本	（名）	notebook(computer)	(n.)
死机		computer goes dead	
台式电脑	（名）	desktop computer	(n.)

密码	（名）	password	(n.)
存盘	（动）	saving to disk	
游戏	（名）	game	(n.)
手机	（名）	mobile phone	(n.)
短信	（名）	short message	(n.)
辐射	（名）	radiation	(n.)
新款	（名）	new model	(n.)
电子邮件	（名）	electronic mail(e-mail)	
			(n.)
数码相机	（名）	digital camera	(n.)
宠坏了		totally spoilt	
知识	（名）	knowledge	(n.)
知道	（动）	know	(v.)
宴会	（名）	banquet, formal dinner	(n.)
傻笑	（动）	giggle, giggling	(v.)
逗死了		so funny	
耳边	（名）	next to the ear	
照(相)	（动）	take(a photograph)	(v.)
不如		may as well	

第十九课
Lesson Nineteen

订(票)	（动）	book(a ticket)	(v.)
机票	（名）	plane ticket	(n.)
什么时候		what time	
深圳	（专名）	Shenzhen	(proper n.)
回来	（动）	come(back)	(v.)
乘客	（名）	passenger	(n.)
身份证	（名）	identity card	(n.)
经济舱	（名）	economy class	(n.)
公务舱	（名）	business class	(n.)
航班	（名）	flight number	(n.)
座位	（名）	seat	(n.)
确认	（动）	confirm	(v.)
提前	（副）	ahead,in advance	(adv.)
办理	（动）	undertake, handle	(v.)
登机	（动）	board	(v.)
		boarding	
手续	（名）	procedure	(n.)
优惠	（名）	better rate	(n.)
折扣	（名）	discount	(n.)

南京	（专名）	Nanjing	(proper n.)
火车票	（名）	traint icket	(n.)
特快	（形）	super express	(adj.)
直快	（形）	express	(adj.)
学生票	（名）	student ticket	(n.)
介绍信	（名）	letter of introduction	(n.)
订票单	（名）	reservation form	(n.)
取票	（动）	pick up(tickets)	(v.)
填	（动）	fill in	(v.)